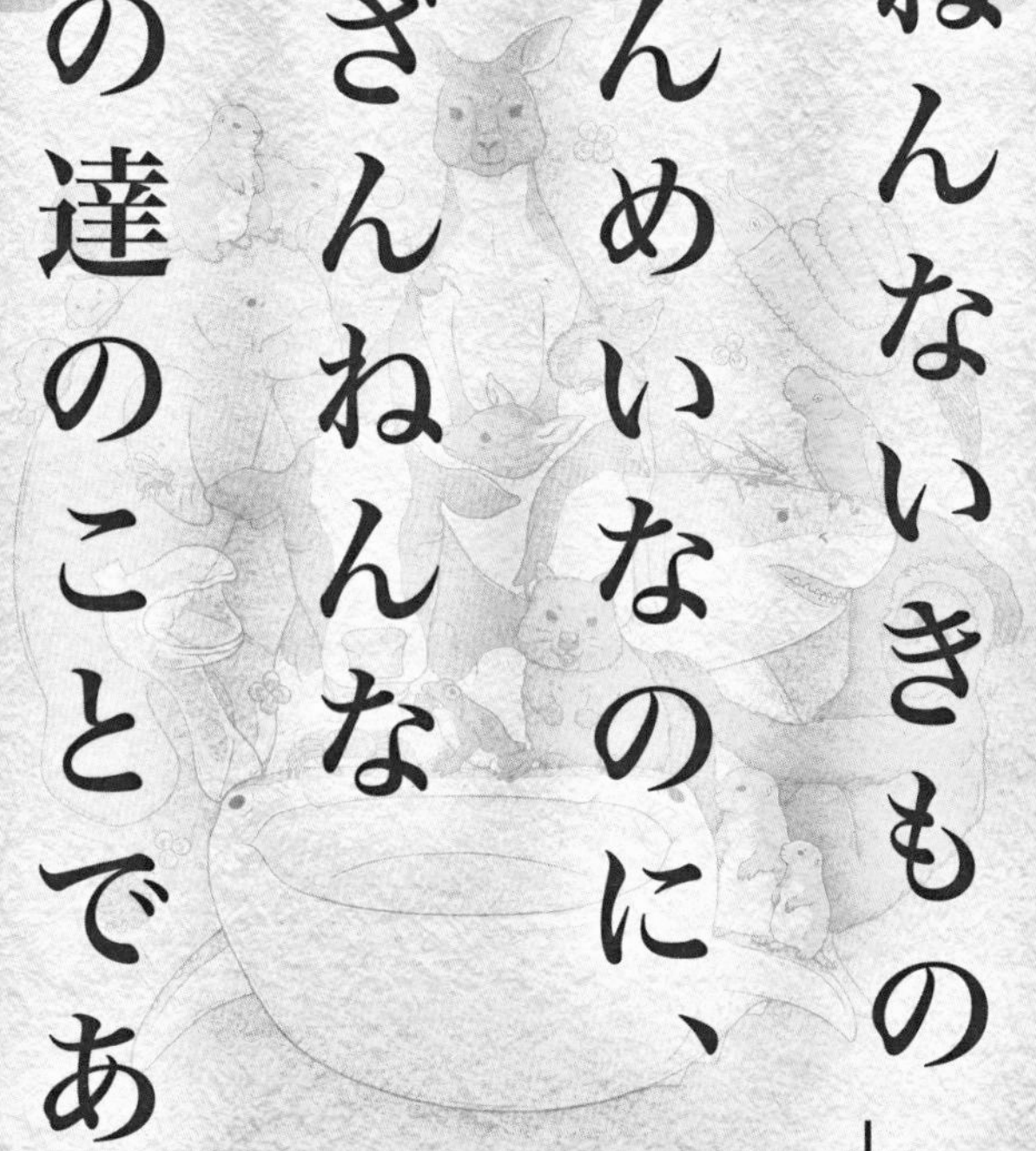

「ざんねんないきもの」とは一生けんめいなのに、どこかざんねんないきもの達のことである。

高橋書店

はじめに

『ざんねんないきもの事典《じてん》』も、
おかげさまで4冊目《さつめ》をむかえることができました。
本書《ほんしょ》を楽《たの》しんでくださっているみなさまに
この場《ば》をかりて、感謝申《かんしゃもう》し上《あ》げます。

この本《ほん》は、
「生《い》き物《もの》の紹介《しょうかい》では、どうしても〝すごさ〟ばかりが注目《ちゅうもく》される」
「だけど、そんなすごい生《い》き物《もの》たちのなかにも、意外《いがい》でつっこみたくなる部分《ぶぶん》はあり、それがおもしろいのではないか」

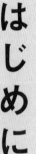

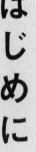

……そんな話《はなし》から、うまれました。

そこに、「ざんねん」という、ちょっと失礼《しつれい》な言葉《ことば》をつけさせていただいてしまいましたが、それが生《い》き物《もの》の多様性《たようせい》を知《し》るきっかけになってくれていたらうれしいなと思《おも》っています。

気《き》になる生《い》き物《もの》を見《み》つけたり、
自分《じぶん》と似《に》ている生《い》き物《もの》を探《さが》したり、
ふしぎに思《おも》ったことを調《しら》べたりしながら、
生《い》き物《もの》をもっと好《す》きになってもらえれば幸《さいわ》いです。

今泉忠明《いまいずみただあき》

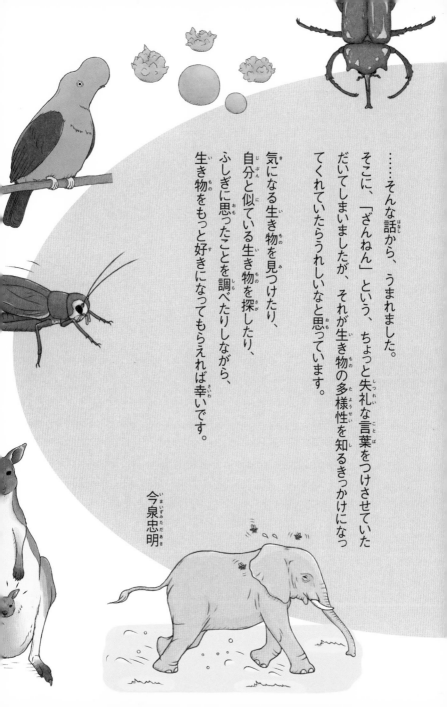

もくじ

第《だい》3章《しょう》 体《からだ》がざんねん

第《だい》5章《しょう》 能力《のうりょく》がざんねん

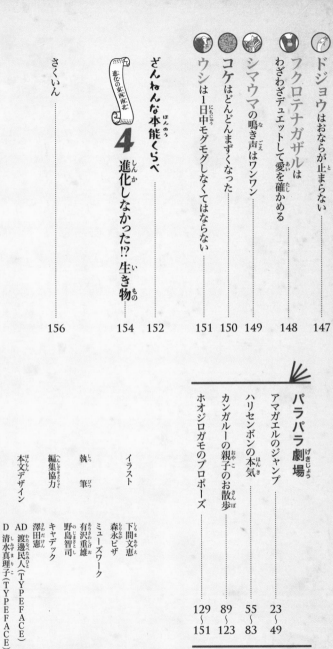

パラパラ劇場《げきじょう》

イラスト　下間文恵《しもまあやえ》
森永《もりなが》ピザ

執筆《しっぴつ》　ミューズワーク
有沢重雄《ありさわしげお》
野島智司《のじまさとし》

編集協力《へんしゅうきょうりょく》　キャデック
澤田憲《さわだけん》

本文《ほんもん》デザイン　AD 渡邊民人《わたなべたみひと》(TYPEFACE)
D 清水真理子《しみずまりこ》(TYPEFACE)

校正《こうせい》　新山耕作《にいやまこうさく》

歴《れき》史《し》のお話《はなし》

第《だい》1章《しょう》

進《しん》化《か》の

「ざんねん」のひみつは、「進化《しんか》」にあります。
生《い》き物《もの》たちのことをもっと知《し》るために、
進化《しんか》がどう考《かんが》えられてきたか、
その歴史《れきし》を見《み》てみましょう。

ウシはどうやってできた？

みなさんは「いちばん地球《ちきゅう》でくらしやすい体《からだ》」をしている生《い》き物《もの》を知《し》っていますか？　正解《せいかい》は、ウシです。

ウシは、世界中《せかいじゅう》どこにでもある草《くさ》を食《た》べて、栄養《えいよう》（肉《にく》やミルク）をつくれます。でも、どうやってその体《からだ》や能力《のうりょく》を手《て》に入《い》れたのでしょうか。

人《ひと》は大昔《おおむかし》から、生《い》き物《もの》がどうやってできたのか、いろいろ考《かんが》えてきました。

たちが考《かんが》えた できた方法《ほうほう》

USI
草《くさ》からたんぱく質《しつ》（肉《にく》や乳《ちち》）をつくれる
長時間歩《ちょうじかんある》いてもつかれない足《あし》
生《い》き物《もの》はすべて水《みず》からうまれたのだ

タレスさんの説《せつ》（紀元前《きげんぜん》600年《ねん》ごろ）

この世《よ》のすべてのものは水《みず》（海《うみ》）からうまれ、水《みず》に返《かえ》っていくと考《かんが》えた

いやいや
すべて神様《かみさま》が
おつくりになった
のじゃ！
草《くさ》と水《みず》だけあれば
どこでも生《い》きられる
いや
「命《いのち》の種《たね》」が
あるのだ！

昔《むかし》のえらい人《ひと》
生《い》き物《もの》が
超《ちょう》生命《せいめい》体《たい》

預言者《よげんしゃ》・モーセさんの説《せつ》（紀元前《きげんぜん》1300年《ねん》ごろ）

すべての生《い》き物《もの》は神様《かみさま》がつくったと考《かんが》えた。この考《かんが》えは、宗教《しゅうきょう》の広《ひろ》がりとともに、全世界《ぜんせかい》で信《しん》じられるようになった

哲学者《てつがくしゃ》・アリストテレスさんの説《せつ》（紀元前《きげんぜん》350年《ねん》ごろ）

世界《せかい》には命《いのち》のもとになる種《たね》がたくさんあり、ここから生《い》き物《もの》がうまれると考《かんが》えた

白熱《はくねつ》する議論《ぎろん》。ところが、これらの説《せつ》をひっくり返《かえ》す大事件《だいじけん》が起《お》きる……！

←

古代《こだい》の生《い》き物《もの》の骨《ほね》が見《み》つかる

およそ200年前《ねんまえ》まで、生《い》き物《もの》は大昔《おおむかし》に神様《かみさま》によってつくられたと考《かんが》えられていました。

ところが、1799年《ねん》に北極《ほっきょく》近《ちか》くのシベリアで、氷《こおり》づけになった「マンモス」の化石《かせき》が発見《はっけん》されます。

この発見《はっけん》は、人々《ひとびと》に大《おお》きななぞを与《あた》えました。

号《ごう》外《がい》だよ!!

Zannen Times
巨人《きょじん》の骨《ほね》は「マンモス」だった！

シベリアの凍《こお》った大地《だいち》から、肉《にく》や毛《け》の残《のこ》ったマンモスの化石《かせき》が発見《はっけん》された。

マンモスは、古代《こだい》に絶滅《ぜつめつ》した巨大《きょだい》なゾウのなかまだと考《かんが》えられている。

それまでにも、土《つち》の中《なか》からマンモスの骨《ほね》はたくさん発見《はっけん》されていたが、それらはすべて巨人《きょじん》や怪物《かいぶつ》の骨《ほね》だと考《かんが》えられてきた。しかし、今回《こんかい》の発見《はっけん》によって、現代《げんだい》にはいないゾウのなかまが、数百万年前《すうひゃくまんねんまえ》の地球《ちきゅう》でくらしていたことが、ほぼ確実《かくじつ》になった。

マンモスが絶滅《ぜつめつ》した原因《げんいん》はよくわかっていないが、今回《こんかい》の発見《はっけん》によって、生《い》き物《もの》の誕生《たんじょう》に関《かん》するさまざまな議論《ぎろん》が巻《ま》き起《お》こりそうだ。

化石《かせき》の発見《はっけん》によりうまれたなぞ
大昔《おおむかし》にいた生《い》き物《もの》
化石《かせき》として発見《はっけん》されるのに…
今《いま》いる生《い》き物《もの》
化石《かせき》が発見《はっけん》されない
おかしくないか？生《い》き物《もの》はすべて大昔《おおむかし》に神様《かみさま》がおつくりになったのだろう？
そうだとすれば、今《いま》いる生《い》き物《もの》の化石《かせき》も同《おな》じくらい発見《はっけん》されてもいいわよね？

今《いま》いる生《い》き物《もの》の化石《かせき》が発《はっ》見《けん》されないのは、大昔《おおむかし》にはいなかったから。つまり大《おお》昔《むかし》の地球《ちきゅう》には別《べつ》の生《い》き物《もの》がいて、今《いま》の生《い》き物《もの》はあとからうまれたと考《かんが》えられます。

しかし、この考《かんが》えは、今《いま》いる生《い》き物《もの》はぜんぶ大昔《おおむかし》に神様《かみさま》がつくったという教《おし》えとは矛盾《むじゅん》するため、当時《とうじ》の人々《ひとびと》は、頭《あたま》をなやませることになりました。

このなぞに答《こた》えるひとりの科学者《かがくしゃ》が……！

←

生《い》き物《もの》はうまれ変《か》われる!?

博物学者《はくぶつがくしゃ》のラマルクは「進化《しんか》」という考《かんが》え方《かた》で、なぞに答《こた》えようとしました。しかし、たくさんの疑問《ぎもん》や反対意見《はんたいいけん》もありました。

の考《かんが》え方《かた》
❶あるところに飛《と》べない鳥《とり》がいた。鳥《とり》は翼《つばさ》が小《ちい》さく、足《あし》が大《おお》きかった
100万年後《まんねんご》
今《いま》いる生《い》き物《もの》は、大昔《おおむかし》にいた生《い》き物《もの》が少《すこ》しずつ体《からだ》の形《かたち》や能力《のうりょく》を変《か》えてできたんだ。これが「進化《しんか》」さ!
木《き》の実《み》を食《た》べるために飛《と》ぶ練習《れんしゅう》をしよう…!
ラマルクさん（1800年《ねん》ごろ）
ちょっとまって!
トレーニングで筋肉《きんにく》モリモリになった人《ひと》でも、うまれてくる子《こ》どもは最初《さいしょ》から筋肉《きんにく》モリモリなわけじゃないでしょ？　練習《れんしゅう》して得《え》た能力《のうりょく》は受《う》けつがれないと思《おも》うわ。
モリ
モリ
ひょ〜〜
ひょ〜〜
お父さん
息子

1分《ぷん》でわかる!

ラマルクの「進化《しんか》」

❷子《こ》ども、孫《まご》、さらにその子《こ》どもと、何世代《なんせだい》にもわたって飛《と》ぶ練習《れんしゅう》を続《つづ》けた。次《し》第《だい》に翼《つばさ》は大《おお》きくなり、歩《ある》くことが少《すく》なくなった足《あし》は逆《ぎゃく》に小《ちい》さくなっていった

さらに100万年後《まんねんご》

翼《つばさ》を動《うご》かす筋肉《きんにく》がどんどん発達《はったつ》して飛《と》べるようになってきたぞ

❸こうして約《やく》200万年後《まんねんご》には、自由《じゆう》に空《そら》を飛《と》べる鳥《とり》に、すっかり変《か》わっていた

どういうこと……?

使《つか》わなくなった体《からだ》の部分《ぶぶん》はやがてなくなるというけれど、男《おとこ》の人《ひと》の乳首《ちくび》はずっと残《のこ》っているよ? 生《い》きるのに使《つか》うか使《つか》わないかは進化《しんか》に関係《かんけい》ないんじゃないかな?

お乳《ちち》をあげない男《おとこ》に、乳首《ちくび》はいらないはずなのにずっと残《のこ》っている

深《ふか》まるなぞ……。このあと、ついにアノ男《おとこ》が真実《しんじつ》を解《と》き明《あ》かす! ←

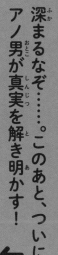

環境《かんきょう》が変《か》わると進化《しんか》が起《お》こる！

博物学者《はくぶつがくしゃ》のダーウィンは、著書《ちょしょ》『種《しゅ》の起源《きげん》』で、生《い》き物《もの》の進化《しんか》が起《お》こるしくみを明《あき》らかにしました。

マンガでわかる！
ダーウィンが考《かんが》えた生《い》き物《もの》の進化論《しんかろん》
ある南《みなみ》の森《もり》に、毛《け》が短《みじか》く体《からだ》の小《ちい》さなサルがいた
サルは子《こ》どもをうみ、何世代《なんせだい》も生《い》き続《つづ》けた。たまに「突然変異《※とつぜんへんい》」によって、ふつうと少《すこ》し違《ちが》うサルがうまれることもあったが、サルの体《からだ》や能力《のうりょく》は変《か》わらなかった
67代目《だいめ》
突然変異《とつぜんへんい》
目《め》の大《おお》きなサル
（増《ふ》えず）
68代目《だいめ》
69代目《だいめ》
突然変異《とつぜんへんい》
鼻《はな》の大《おお》きなサル
（増《ふ》えず）
70代目《だいめ》
増
※いくつかの原因《げんいん》によって、子《こ》どもの「DNA」（体《からだ》の設計図《せっけいず》）が書《か》きかえられて、親《おや》とは違《ちが》う形《かたち》や能力《のうりょく》をもつ子《こ》どもがうまれること

環境《かんきょう》の大変化《だいへんか》と突然変異《とつぜんへんい》が同時《どうじ》に起《お》きると進化《しんか》するぞい！

ダーウィンさん（1860年《ねん》ごろ）

※このマンガは、ダーヴィンの進化《しんか》の考《かん》え方《かた》を説明《せつめい》するためにつくったフィクションです。実際《じっさい》の『種《しゅ》の起源《きげん》』の内容《ないよう》とは異《こと》なります

ところがある日《ひ》、大《おお》きな火山《かざん》が大噴火《だいふんか》した。空《そら》は灰《はい》におおわれ、光《ひかり》がとどかなくなり、地球《ちきゅう》はどんどん寒《さむ》くなっていった
ドカーーン!!
毛《け》が短《みじか》いサルは、寒《さむ》さに弱《よわ》かった。そのためどんどん数《かず》が減《へ》っていった
そんなとき、たまたま突然《とつぜん》変異《へんい》によって「毛《け》が少《すこ》し長《なが》いサル」がうまれた。そのサルは、今《いま》までのサルよりも少《すこ》しだけ寒《さむ》さに強《つよ》かった
へっちゃら～～!
もふっ
やがて元々《もともと》いた毛《け》が短《みじか》いサルは絶滅《ぜつめつ》してしまった。しかし、毛《け》が少《すこ》し長《なが》いサルは生《い》きのびて、増《ふ》えていった
78代目《だいめ》
79代目《だいめ》
絶滅《ぜつめつ》…
突然変異《とつぜんへんい》
初代《しょだい》
2代目《だいめ》
増
さらに、ふたたび突然変異《とつぜんへんい》によって、「もっと毛《け》が長《なが》くて体《からだ》の大《おお》きなサル」がうまれた。毛《け》が長《なが》くて体《からだ》の大《おお》きなサルのほうが、より寒《さむ》さに強《つよ》かったため、どんどん数《かず》が増《ふ》えていった
ずーん
こうして200万年後《まんねんご》には、毛《け》が長《なが》くて体《からだ》の大《おお》きなサルだけがくらすようになったとさ
END

みんな違《ちが》うから、進化《しんか》できる

ダーウィンが考《かんが》えた進化論《しんかろん》は、私《わたし》たちにふたつのことを教《おし》えてくれます。

ひとつは、「進化《しんか》はたまたま起《お》こる」ということ。

たとえばウマは、最初《さいしょ》から足《あし》を速《はや》くしようと思《おも》ったわけではありません。体《からだ》の大《おお》きなウマ、首《くび》の長《なが》いウマ、足《あし》の長《なが》いウマなど、いろんなウマがうまれたなかで、たまたま今《いま》のウマの形《かたち》がいちばん環境《かんきょう》に合《あ》っていたから生《い》き残《のこ》ったのです。だから、進化《しんか》するためには「みんな違《ちが》っていること」がとても大切《たいせつ》なのです。

1億年《おくねん》後《ご》、地球《ちきゅう》でいちばん栄《さか》えているのはアノ生《い》き物《もの》かもしれない……。

もうひとつは、「今《いま》いちばん強《つよ》い生《い》き物《もの》が、かならず生《い》き残《のこ》るわけではない」ということ。6500万年前《まんねんまえ》にいた恐竜《きょうりゅう》たちは、地球《ちきゅう》に隕《いん》石《せき》がぶつかり、地球《ちきゅう》が寒《さむ》くなったことで絶滅《ぜつめつ》しました。いっぽうで、モグラのように弱《よわ》く小《ちい》さな生《い》き物《もの》は、たくましく生《い》き残《のこ》りました。これが、わたしたち人間《にんげん》の祖先《そせん》になったのです。

この本《ほん》で紹介《しょうかい》する「ざんねん」な生《い》き物《もの》たちも、ずっと未来《みらい》では「すごい」生《い》き物《もの》に進化《しんか》しているかもしれません。

ねん

第《だい》2章《しょう》

すごいけど ざんねん

すごい部分《ぶぶん》があるいっぽうで、
「どうして、そうなった!?」と
つっこみたくなる部分《ぶぶん》をあわせもつ生《い》き物《もの》たちもいるのです。

パラパラ劇場《げきじょう》

アマガエルが
むかう先《さき》は……？

アホウドリはうんこを国《くに》にされた

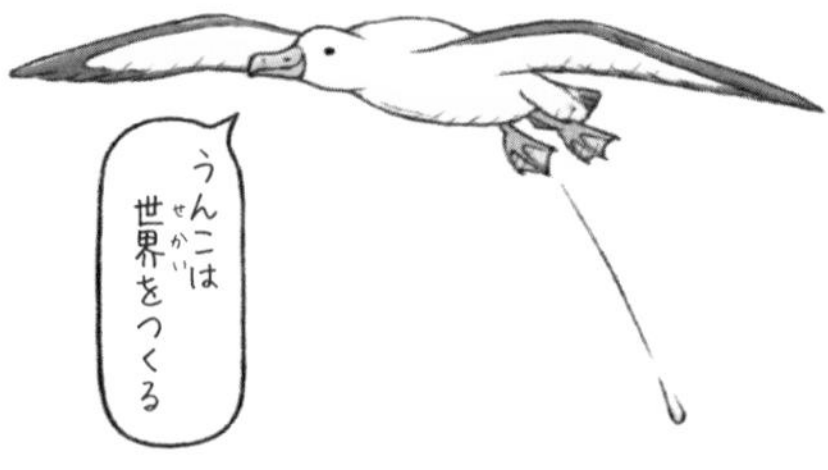

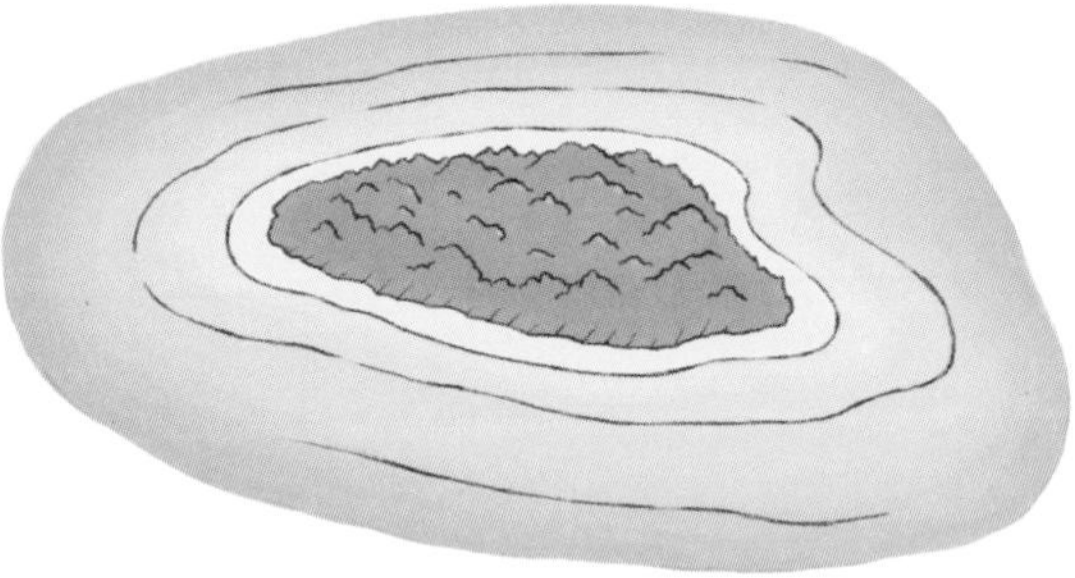

童話《どうわ》『ヘンゼルとグレーテル』には「おかしでできた家《いえ》」が出《で》てきますが、地球《ちきゅう》の太平洋《たいへいよう》には**「うんこでできた島《しま》」があります。**

この島《しま》は、アホウドリが何百年《なんびゃくねん》もサンゴ礁《しょう》の上《うえ》にうんこをしまくった結果《けっか》、うんこがカチカチに固《かた》まってできました。その**大《おお》きさは、東京《とうきょう》ドーム約《やく》４５０個《こ》ぶん。**そこに人《ひと》がすみ、**「ナウル共和国《きょうわこく》」というりっぱな国《くに》**になっています。

しかも、国民《こくみん》の生活《せいかつ》もうんこだのみ。「リン鉱石《こうせき》」という**うんこの残骸《ざんがい》を売《う》って生活《せいかつ》をしています。**

自分《じぶん》のうんこを使《つか》われまくっているアホウドリは、いったいどんな気持《きも》ちなのでしょうか。

プロフィール

鳥類《ちょうるい》

- **名前《なまえ》** アホウドリ
- **生息地《せいそくち》** 北太平洋《きたたいへいよう》の島《しま》
- **大《おお》きさ** 全長《ぜんちょう》92㎝
- **とくちょう** 平均《へいきん》で約《やく》30年《ねん》と、鳥《とり》のなかでは長生《ながい》きする

Q ホッキョクグマ（シロクマ）の皮《ひ》ふは何色《なにいろ》？

→答《こた》えは26ページ

デンキウナギは自分《じぶん》も感電《かんでん》してしまう

デンキウナギは、最大《さいだい》８００ボルトもの強《つよ》さで電気《でんき》を出《だ》せます。これは、コンセントから出《で》る電気《でんき》の8倍《ばい》の強《つよ》さで、**ワニやウマを気《き》絶《ぜっ》させたり、殺《ころ》したりすることもできるほど強力《きょうりょく》**なものです。

かれらはこの電気《でんき》で、えものを攻撃《こうげき》したり、敵《てき》から身《み》を守《まも》ったりしています。まるでゲームのモンスターみたいでかっこいいのですが、なんと**自分《じぶん》の体《からだ》もビリビリしびれています。**体《からだ》の外側《そとがわ》を厚《あつ》い脂《し》肪《ぼう》でおおうなどして、電気《でんき》を通《とお》しにくくはなっていますが、それでも完全《かんぜん》には防《ふせ》げないようです。

本当《ほんとう》にすごいのは**電気《でんき》ではなく、そのガマン強《づよ》さ**かもしれません。

プロフィール

硬骨魚類《こうこつぎょるい》

- ■**名前《なまえ》**　デンキウナギ
- ■**生息地《せいそくち》**　南《みなみ》アメリカ北部《ほくぶ》の河川《かせん》
- ■**大《おお》きさ**　全長《ぜんちょう》2.5m
- ■**とくちょう**　電気器官《でんききかん》は筋肉細胞《きんにくさいぼう》が変《へん》形《けい》してできたもの

ざんねん度《ど》

クアッカワラビーは神対応《かみたいおう》すぎて心《こころ》を病《や》みがち

A 24ページの答《こた》え→ 黒《くろ》

クアッカワラビーという動物界《どうぶつかい》のアイドルをごぞんじでしょうか？　口角《こうかく》が上《あ》がっているため、**いつもにっこりと笑《わら》っているように見《み》える顔《かお》**。さらに、カメラを向《む》けると近《ちか》づいてきて、**いっしょに写真《しゃしん》も撮《と》ってくれます**。こうした神対応《かみたいおう》によって、爆発的《ばくはつてき》にファンが増《ふ》え、**毎年《まいとし》50万人《まんにん》もの観光客《かんこうきゃく》がおし寄《よ》せる**ようになりました。

しかし、人気《にんき》が高《たか》まるほど、ストレスも強《つよ》くなるもの。そこで、絶滅危惧種《ぜつめつきぐしゅ》でもあるかれらを守《まも》るために、トップアイドルさながらの規則《きそく》ができました。

食《た》べ物《もの》のプレゼントは禁止《きんし》。**体《からだ》に触《さわ》ろうものなら、つかまります**ので、ファンのみなさんご注意《ちゅうい》を。

プロフィール

ほ乳類《にゅうるい》

- **名前《なまえ》**　クアッカワラビー
- **生息地《せいそくち》**　オーストラリア南西部《なんせいぶ》やロットネスト島《とう》
- **大《おお》きさ**　体長《たいちょう》50㎝
- **とくちょう**　「世界一《せかいいち》しあわせな動物《どうぶつ》」ともよばれる

カラスは頭《あたま》がいいのに、やることはバカ

今日《きょう》はうんこでも
つめてみるかー

カラスのかしこさは、鳥《とり》のなかでもピカイチ。たとえば、オーストラリアのカラスは、幼虫《ようちゅう》をとるために小枝《こえだ》をけずって槍《やり》やつり針《ばり》をつくります。また、日本《にほん》のカラスも、**公園《こうえん》の水道《すいどう》の蛇口《じゃぐち》をひねって水《みず》を飲《の》んだり、車《くるま》に木《き》の実《み》をひかせて中身《なかみ》を食《た》べたりします。**

しかし、その頭《あたま》のよさが悪《わる》いほうに働《はたら》くことも。**シカの耳《みみ》にうんこをつめて遊《あそ》ぶ**カラスや、**線路《せんろ》の上《うえ》に小石《こいし》を置《お》いて電車《でんしゃ》が踏《ふ》むのを楽《たの》しむ**カラスもいるようです。

シカはいい迷惑《めいわく》ですし、置《お》き石《いし》は大事故《だいじこ》につながりかねません。カラスとほかの生《い》き物《もの》の戦《たたか》いは、まだまだ続《つづ》きそうです。

プロフィール

鳥類《ちょうるい》

■ 名前《なまえ**》** ハシボソガラス

■ 生息地《せいそくち》 九州《きゅうしゅう》より北《きた》の農耕地《のうこうち》や海岸《かいがん》

■ 大《おお》きさ 全長《ぜんちょう》50㎝

■ とくちょう 木《き》の上《うえ》に、枝《えだ》やときにはハンガーなどを使《つか》った巣《す》をつくる

Q カモノハシはどこから母乳《ぼにゅう》を出《だ》す？

→答《こた》えは30ページ

ざんねん度《ど》

マナティーは水《みず》の振動《しんどう》も感《かん》じとれるのに、船《ふね》にぶつかって死《し》ぬ

　マナティーは、にごって前《まえ》が見《み》えない川《かわ》や、夜《よる》のまっ暗《くら》な川《かわ》でもスイスイ泳《およ》ぐことができます。

　その**ひみつは、毛《け》**にありました。いっけんツルツルに見《み》える体《からだ》には、じつは３０００本《ぼん》もの短《みじか》い毛《け》が生《は》えています。そして、毛《け》の１本《ぽん》１本《ぽん》が神経《しんけい》を通《つう》じて脳《のう》とつながっているため、**まわりにある障害物《しょうがいぶつ》や水《みず》の振動《しんどう》さえも感《かん》じとれる**超能力《ちょうのうりょく》のようなパワーをもつのです。

　そんなにすごい力《ちから》をもつかれらですが、**なぜか船《ふね》にはぶつかります。**というのも、低音《ていおん》が聞《き》こえず、船《ふね》のエンジン音《おん》には気《き》がつけないようです。船《ふね》とぶつかって命《いのち》を落《お》とすものも少《すく》なくないのだとか。

プロフィール

ほ乳類《にゅうるい》

■**名前《なまえ》**　アメリカマナティー
■**生息地《せいそくち》**　太平洋西部《たいへいようせいぶ》やカリブ海《かい》の沿岸《えんがん》
■**大《おお》きさ**　全長《ぜんちょう》3.3m
■**とくちょう**　人魚《にんぎょ》のモデルともいわれている

サバクキンモグラはどっちが頭《あたま》でどっちがおしりかわからない

アフリカの砂漠《さばく》にすむサバクキンモグラには、**目《め》もしっぽもありません**。そして、昼間《ひるま》はほとんど巣《す》の中《なか》で過《す》ごす、ひきこもり生活《せいかつ》を送《おく》っています。なんだかダメダメな生《い》き物《もの》に思《おも》えますが、じつは、その中身《なかみ》はかなりハイテク。

砂《すな》から伝《つた》わる**わずかな振動《しんどう》をとらえて、ミミズやクモを探《さが》し出《だ》せます**。逆《ぎゃく》に、このハイテク機能《きのう》をそなえているため、目《め》が必要《ひつよう》なくなったというわけです。

見《み》た目《め》だけで判断《はんだん》してはいけないなと、つくづく思《おも》いますが、体《からだ》に砂《すな》をまとったその姿《すがた》は、**砂漠《さばく》にきなこもちが落《お》ちている**ように見《み》えてなりません。

プロフィール

ほ乳類《にゅうるい》

- ■**名前《なまえ》** サバクキンモグラ
- ■**生息地《せいそくち》** アフリカ南部《なんぶ》の砂漠《さばく》
- ■**大《おお》きさ** 体長《たいちょう》8㎝
- ■**とくちょう** 長《なが》い爪《つめ》で、砂《すな》の中《なか》を泳《およ》ぐように進《すす》む

A 28ページの答《こた》え→ おなかの皮《ひ》ふ

ウロコヤモリは敵《てき》におそわれるとはだかになる

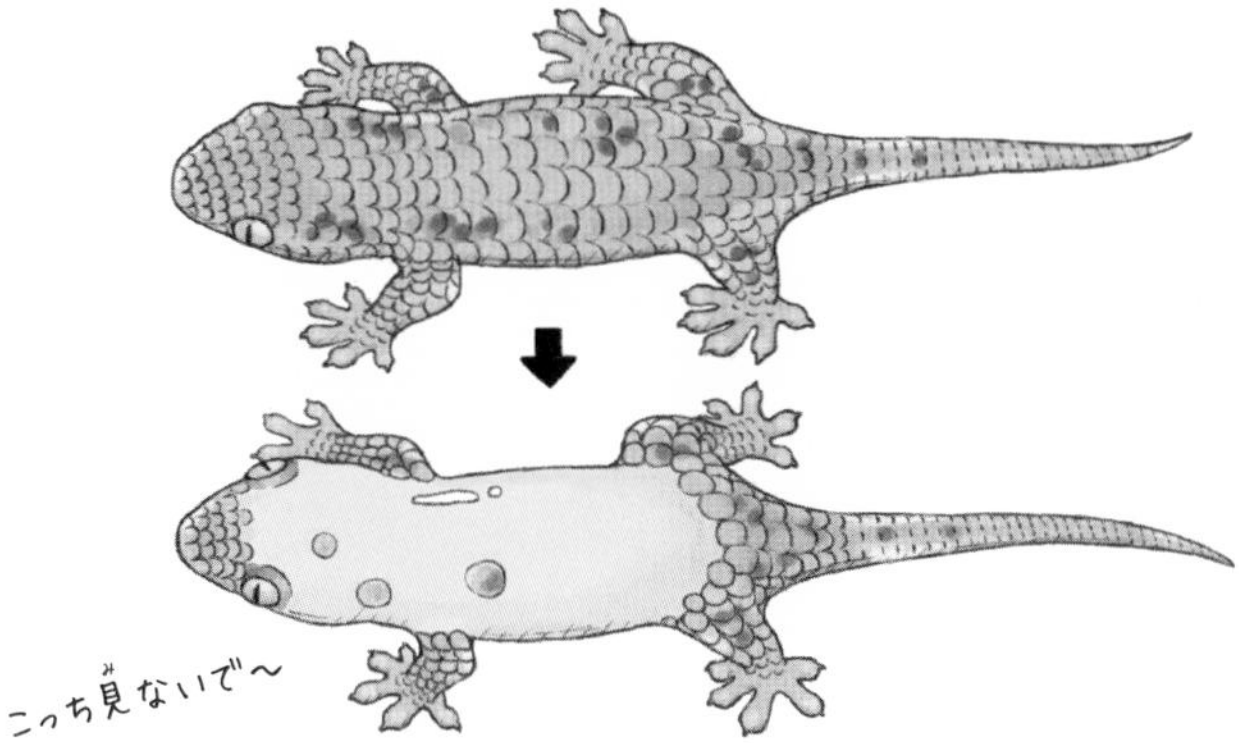

トカゲはしっぽをつかまれると、自分《じぶん》でしっぽを切《き》ります。このように、体《からだ》の一部《いちぶ》を切《き》りはなして逃《に》げる行動《こうどう》を「自切《じせつ》」といいます。

ウロコヤモリも自切《じせつ》で身《み》を守《まも》るのですが、切《き》りはなすのは、なんとウロコ。**体《からだ》の表面《ひょうめん》にあるウロコをボロボロとはがして逃《に》げる**のです。しっぽよりダメージが少《すく》なく、ナイスアイデアかもしれません。

しかし、はだかになったウロコヤモリは、**鶏《とり》のササミ肉《にく》にしか見《み》えません**。おいしそうな姿《すがた》になったかれらは、新《あたら》しいウロコが生《は》えてくるまで敵《てき》に見《み》つからないよう、**数週間《すうしゅうかん》もかくれ家《が》でじっとしていなければならない**のです。

プロフィール

は虫類《ちゅうるい》

■**名前《なまえ》**　ウロコヤモリ（新種《しんしゅ》でまだ正《せい》式《しき》な和名《わめい》はない）
■**生息地《せいそくち》**　マダガスカル島《とう》の森林《しんりん》
■**大《おお》きさ**　全長《ぜんちょう》14㎝
■**とくちょう**　はがれたウロコは数週間《すうしゅうかん》で再生《さいせい》する

モンハナシャコはパンチに自信《じしん》をもちすぎ

毒《どく》をもつ生《い》き物《もの》のようにあざやかな体《からだ》をしたモンハナシャコ。ただし毒《どく》はなく、かれらは**パンチを武器《ぶき》**とします。かたい貝《かい》やカニを**「捕脚《ほきゃく》」とよばれる太《ふと》い脚《あし》でなぐり、ぶっこわして食《た》べる**のです。

そのスピードは時速《じそく》80㎞。**あまりの速《はや》さにまわりの水《みず》は一瞬沸騰《いっしゅんふっとう》し泡《あわ》が出《で》る**ほか、水槽《すいそう》に穴《あな》が開《あ》くこともあるとか。自分《じぶん》のパンチに自信《じしん》があるからなのか、気性《きしょう》があらく、なかまとのケンカが絶《た》えません。

きわめつきは、人間《にんげん》の10倍色《ばいいろ》を見分《みわ》けられるというから最強《さいきょう》かよと思《おも》いきや、その目《め》はむき出《だ》しのため、**目《め》つぶしをくらうとすぐに戦意喪失《せんいそうしつ》する**そうです。

プロフィール

甲殻類《こうかくるい》

■**名前《なまえ》**　モンハナシャコ
■**生息地《せいそくち》**　相模湾以南《さがみわんいなん》、西太平洋《にしたいへいよう》からインド洋《よう》の海《うみ》
■**大《おお》きさ**　全長《ぜんちょう》17㎝
■**とくちょう**　浅《あさ》い海底《かいてい》の砂《すな》やサンゴ礁《しょう》に穴《あな》をほってくらす

Q ワニの口《くち》を開《ひら》く力《ちから》とおじいちゃんの握力《あくりょく》、強《つよ》いのはどっち？ ➡答《こた》えは34ページ

オニヒトデは2つに切《き》られても再生《さいせい》するが、4つに切《き》られると死《し》ぬ

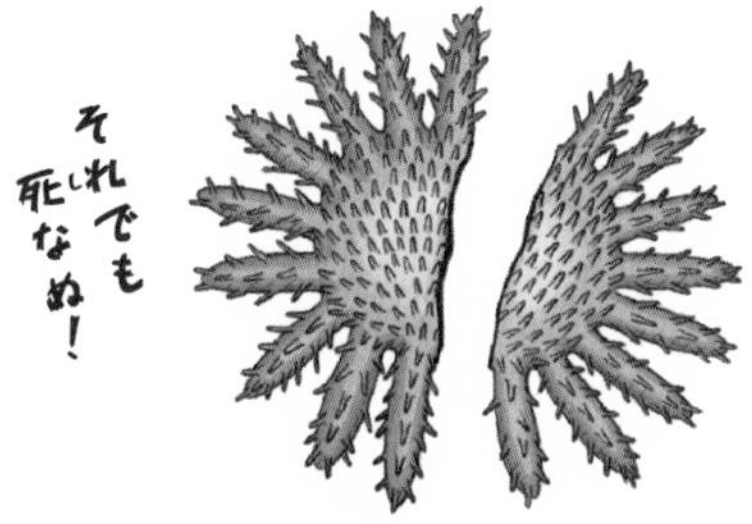
それでも死《し》なぬ!

む……むねん……

オニヒトデは、とてもおそろしい生《い》き物《もの》です。体《からだ》の表面《ひょうめん》は無数《むすう》の毒針《どくばり》でおおわれていて、刺《さ》されると激《はげ》しい痛《いた》みが出《で》るほか、**最悪《さいあく》の場合《ばあい》、死《し》にいたることもあります。**

場所《ばしょ》によっては、そんな凶悪《きょうあく》なオニヒトデが数百万匹《すうひゃくまんびき》も発生《はっせい》し、**あたりのサンゴが食《く》いつくされてしまう被害《ひがい》**も出《で》ています。

しかも、かれらは生命力《せいめいりょく》も強《つよ》く、**体《からだ》を2つに切《き》られても死《し》にません。**それぞれが再生《さいせい》するのです。マンガならここで「フハハッ、斬撃《ざんげき》など効《き》かぬわ!」と悪態《あくたい》をつくところですが、**4つに切《き》られるとあっさり死《し》にます。**どうやら、再生《さいせい》が追《お》いつかないみたいです。

プロフィール

ヒトデ類《るい》

■**名前《なまえ》**　オニヒトデ
■**生息地《せいそくち》**　太平洋西部《たいへいようせいぶ》、インド洋《よう》の海《うみ》
■**大《おお》きさ**　直径《ちょっけい》30㎝
■**とくちょう**　大《おお》きいものでは直径《ちょっけい》60㎝、腕《うで》の数《かず》が20本《ぽん》にもなる

ゾウリムシは７００回《かい》くらい分裂《ぶんれつ》すると、力《ちから》つきる

ゾウリムシは「分裂《ぶんれつ》」して増《ふ》えます。１匹《ぴき》の体《からだ》が半分《はんぶん》に分《わ》かれて、２匹《ひき》になるのです。しばらくすると、それぞれがまた分裂《ぶんれつ》して４匹《ひき》になります。これを50回《かい》くり返《かえ》すと、**最初《さいしょ》は１匹《ぴき》だったゾウリムシが約《やく》１１２６兆匹《ちょうひき》にも増《ふ》える**というわけです。

この調子《ちょうし》で無限《むげん》に増《ふ》えていきそうですが、かれらにも寿命《じゅみょう》があります。じつは、ゾウリムシは分裂《ぶんれつ》するたびに年《とし》をとっていて、**１匹《ぴき》が７００回《かい》ほど分裂《ぶんれつ》すると死《し》をむかえる**といわれています。

１回《かい》の分裂《ぶんれつ》に８時間《じかん》かかるとしても、せいぜい**７〜８か月《げつ》しか生《い》きられない**、はかない命《いのち》なのです。

プロフィール

貧膜口類《ひんまくこうるい》

■名前《なまえ》　ゾウリムシ
■生息地《せいそくち》　川《かわ》の底《そこ》のどろや沼《ぬま》、水田《すいでん》など
■大《おお》きさ　全長《ぜんちょう》0.2㎜
■とくちょう　せん毛《もう》という約《やく》3500本《ぽん》もの毛《け》を使《つか》って動《うご》きまわる

ウェルウィッチアは600年《ねん》生《い》きても、つける葉《は》は2枚《まい》

たくさんあるように見《み》えても
これ切《き》れてるだけですから！

ウェルウィッチアは「奇想天外《きそうてんがい》」の和名《わめい》をもつほど、変《か》わった植物《しょくぶつ》。

まず、**世界《せかい》でもっとも乾燥《かんそう》した砂漠《さばく》に生《は》えています**。ここは雨《あめ》がほとんど降《ふ》らず、木《き》が立《た》ったまま枯れるほど。それなのに、ウェルウィッチアは**６００年《ねん》以上《いじょう》生《い》きます**。なかには、樹齢《じゅれい》２０００年《ねん》以《い》上《じょう》でイエス・キリスト誕生《たんじょう》のころから生《い》きているものも。**10mもの根《ね》で地下水《ちかすい》を吸《す》い上《あ》げられるのが、長生《ながい》きのひみつ**のようです。

これだけ長《なが》いこと砂漠《さばく》を見《み》つめて過《す》ごすウェルウィッチアですが、**葉《は》は一生《いっしょう》でたった2枚《まい》しかつけません**。何枚《なんまい》もあるように見《み》えても、風《かぜ》でさけただけなのです。

プロフィール

植物《しょくぶつ》

■**名前《なまえ》**　ウェルウィッチア
■**生息地《せいそくち》**　アフリカのナミブ砂漠《さばく》
■**大《おお》きさ**　葉《は》を広《ひろ》げた直径《ちょっけい》7m
■**とくちょう**　裸子植物《らししょくぶつ》で、オスの株《かぶ》とメスの株《かぶ》がある

ジンベエザメは8000本《ぼん》も歯《は》が生《は》えているが、ほぼ使《つか》わない

ごはんは
飲《の》み物《もの》です

ジンベエザメは、世界最大《せかいさいだい》のサメのなかま。口《くち》のスケールも大《おお》きく、**約《やく》8000本《ぼん》もの歯《は》がびっしりとならんでいる**様子《ようす》は、まるで大《おお》きなコンサートホールの座席《ざせき》のように壮大《そうだい》です。

といっても、**歯《は》1本《ぽん》の大《おお》きさは米粒《こめつぶ》ほど**しかなく、食《た》べ物《もの》をとったりかんだりするのには、ぜんぜん役《やく》に立《た》ちません。

かれらの食《た》べ物《もの》は、オキアミなどのプランクトン※や小《ちい》さなエビなど。これらを海水《かいすい》ごとのみこんで、えらにあるスポンジ状《じょう》の部分《ぶぶん》でこしとって食《た》べるので、**歯《は》は使《つか》われずちっぽけな存在《そんざい》になってしまった**というわけです。

※水中《すいちゅう》にうかんで生活《せいかつ》している小《ちい》さな生《い》き物《もの》のこと

プロフィール

軟骨魚類《なんこつぎょるい》

■名前《なまえ**》** ジンベエザメ
■生息地《せいそくち》 熱帯《ねったい》から温帯《おんたい》の沿岸《えんがん》や外洋《がいよう》
■大《おお》きさ 全長《ぜんちょう》12m
■とくちょう 名前《なまえ》の由来《ゆらい》は体《からだ》の模様《もよう》が服《ふく》の「甚平《じんべい》」に似《に》ていること

Q カブトガニの脳《のう》みそはどんな形《かたち》をしている？ →答《こた》えは38ページ

カモノハシガエルは完璧《かんぺき》に子《こ》どもを守《まも》るが、病気《びょうき》で絶滅《ぜつめつ》した

食《た》べちゃいたいくらいかわいいのよ

カモノハシガエルの母親《ははおや》は、**自《じ》分《ぶん》でうんだ卵《たまご》をのみこみます。**といっても、おなかが空《す》いているわけではありません。かわいいわが子《こ》を守《まも》るため、**自分《じぶん》の胃《い》の中《なか》にかくした**のです。

「子《こ》どもが消化《しょうか》されちゃう」と心《しん》配《ぱい》になりますが、ご安心《あんしん》を。ふしぎなことに、**子《こ》どもをのみこんだ瞬間《しゅんかん》から胃液《いえき》が止《と》まり、**胃袋《いぶくろ》は卵《たまご》をあたためる袋《ふくろ》に早変《はやが》わり。数週《すうしゅう》間後《かんご》には、愛情《あいじょう》いっぱいに育《そだ》った子《こ》ガエルたちが、**母親《ははおや》の口《くち》からピョンピョン飛《と》び出《だ》してきます。**

そんな鉄壁《てっぺき》の胃袋《いぶくろ》で子《こ》どもを守《まも》るかれらですが、**病気《びょうき》には勝《か》てず絶滅《ぜつめつ》してしまいました。**

プロフィール

両生類《りょうせいるい》

- **名前《なまえ》**　カモノハシガエル（絶滅種《ぜつめつしゅ》）
- **生息地《せいそくち》**　オーストラリア・クイーンズランド州《しゅう》の熱帯雨林《ねったいうりん》
- **大《おお》きさ**　体長《たいちょう》4.5cm
- **とくちょう**　カエルツボカビ病《びょう》などが原《げん》因《いん》で絶滅《ぜつめつ》したとされる

パンダは木《き》に登《のぼ》るのはうまいが、おりられない

大《おお》きく丸々《まるまる》とした体《からだ》つきがかわいらしいパンダ。あまり身軽《みがる》には見《み》えませんが、**じつは木《き》登《のぼ》りが得《と》意《い》**です。かれらの手首《てくび》は内側《うちがわ》に少《すこ》し曲《ま》がっていて、木《き》にしがみつきやすくなっています。野生《やせい》のパンダは、この手《て》で器用《きよう》に木《き》を登《のぼ》り、ヒョウやジャッカルなどの肉食動《にくしょくどう》物《ぶつ》から身《み》を守《まも》るのです。

ただ、**おりるのはものすごく苦《にが》手《て》**なよう。動物園《どうぶつえん》にいるパンダも、木《き》の上《うえ》から転《ころ》げ落《お》ちたり、つかんだ枝《えだ》が折《お》れて落下《らっか》したりする様子《ようす》がよく見《み》られます。また、木《き》のてっぺんまで登《のぼ》ったはいいけど、**おりられずに、飼育員《しいくいん》に救出《きゅうしゅつ》される**パンダもいるのだとか。

プロフィール

ほ乳類《にゅうるい》

■**名前《なまえ》** ジャイアントパンダ
■**生息地《せいそくち》** 中国西部《ちゅうごくせいぶ》の山地《さんち》
■**大《おお》きさ** 体長《たいちょう》1.2m
■**とくちょう** 「第《だい》6の指《ゆび》」とよばれる手首《てくび》の骨《ほね》のでっぱりがある

A 36ページの答《こた》え→ ドーナツ型《がた》

プラチナコガネは金《きん》ピカすぎてコレクションされがち

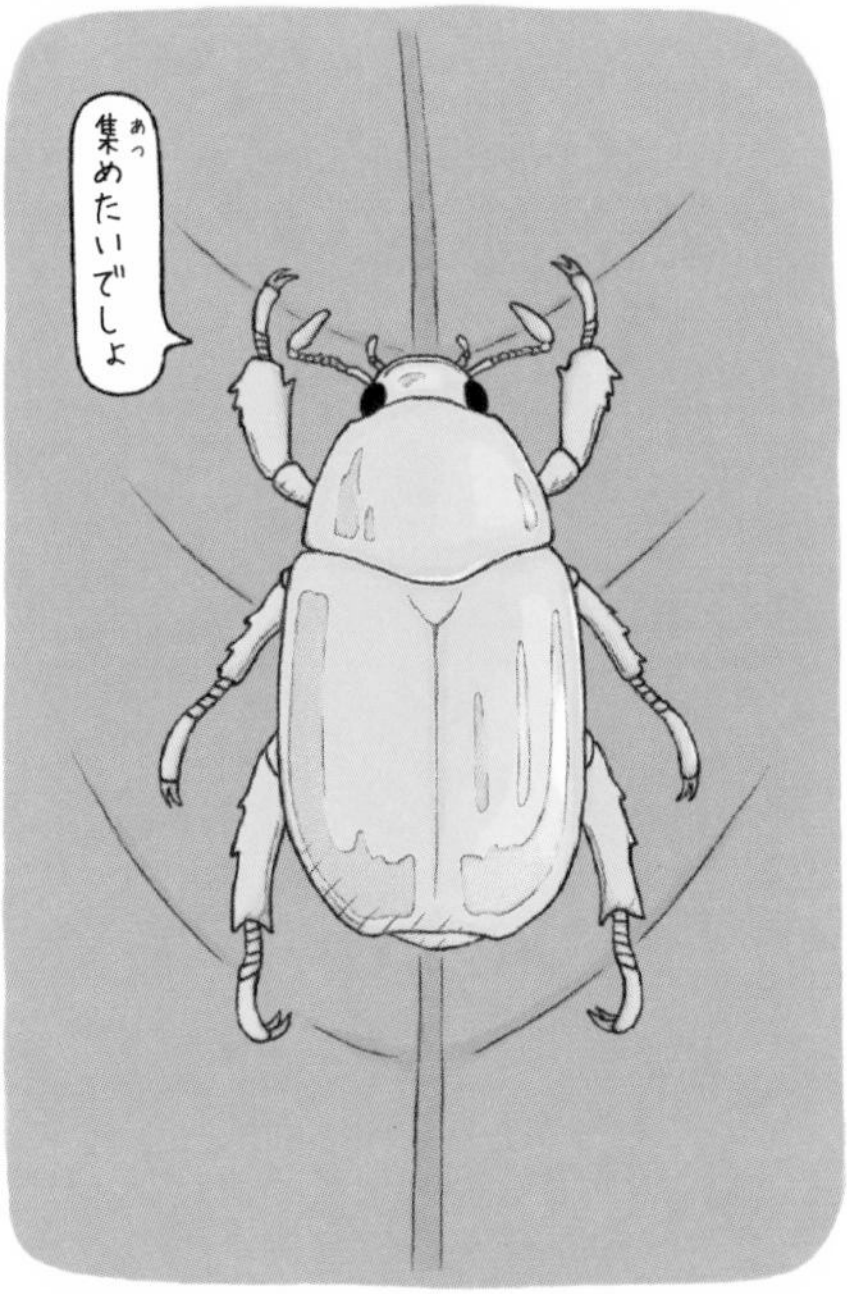

CD《シーディー》の表面《ひょうめん》を見《み》ると、ピカピカと虹色《にじいろ》にかがやいて見《み》えます。しかしこれは、**CD《シーディー》自体《じたい》に色《いろ》がついているわけではありません。**CD《シーディー》に当《あ》たった光《ひかり》が、表面《ひょうめん》にある細《こま》かな凹凸《おうとつ》によって、散《ち》ったり重《かさ》なったりすることで見《み》える色《いろ》なのです。これを「構造色《こうぞうしょく》」といいます。

そして、この構造色《こうぞうしょく》を利用《りよう》しているのがプラチナコガネ。かれらの体《からだ》は、**鏡《かがみ》のようにピカピカと光《ひか》っています。**体《からだ》にまわりの景色《けしき》を映《うつ》すことで、森《もり》にとけこみ、敵《てき》から姿《すがた》をかくしているのです。

しかし、その美《うつく》しさから**「森《もり》の宝石《ほうせき》」とよばれ、**金《きん》ピカ好《ず》きの人《にん》間《げん》にねらわれるはめになりました。

プロフィール

昆虫類《こんちゅうるい》

- ■**名前《なまえ》**　プラチナコガネ（中南米《ちゅうなんべい》の金《きん》ピカのコガネムシの総称《そうしょう》）
- ■**生息地《せいそくち》**　中南米《ちゅうなんべい》の雲霧林《うんむりん》
- ■**大《おお》きさ**　体長《たいちょう》2.5㎝
- ■**とくちょう**　おもに夜行性《やこうせい》とされるが、生《せい》態《たい》はほとんどわかっていない

ベニクラゲは不老不死《ふろうふし》なのに、食《た》べられて死《し》にまくる

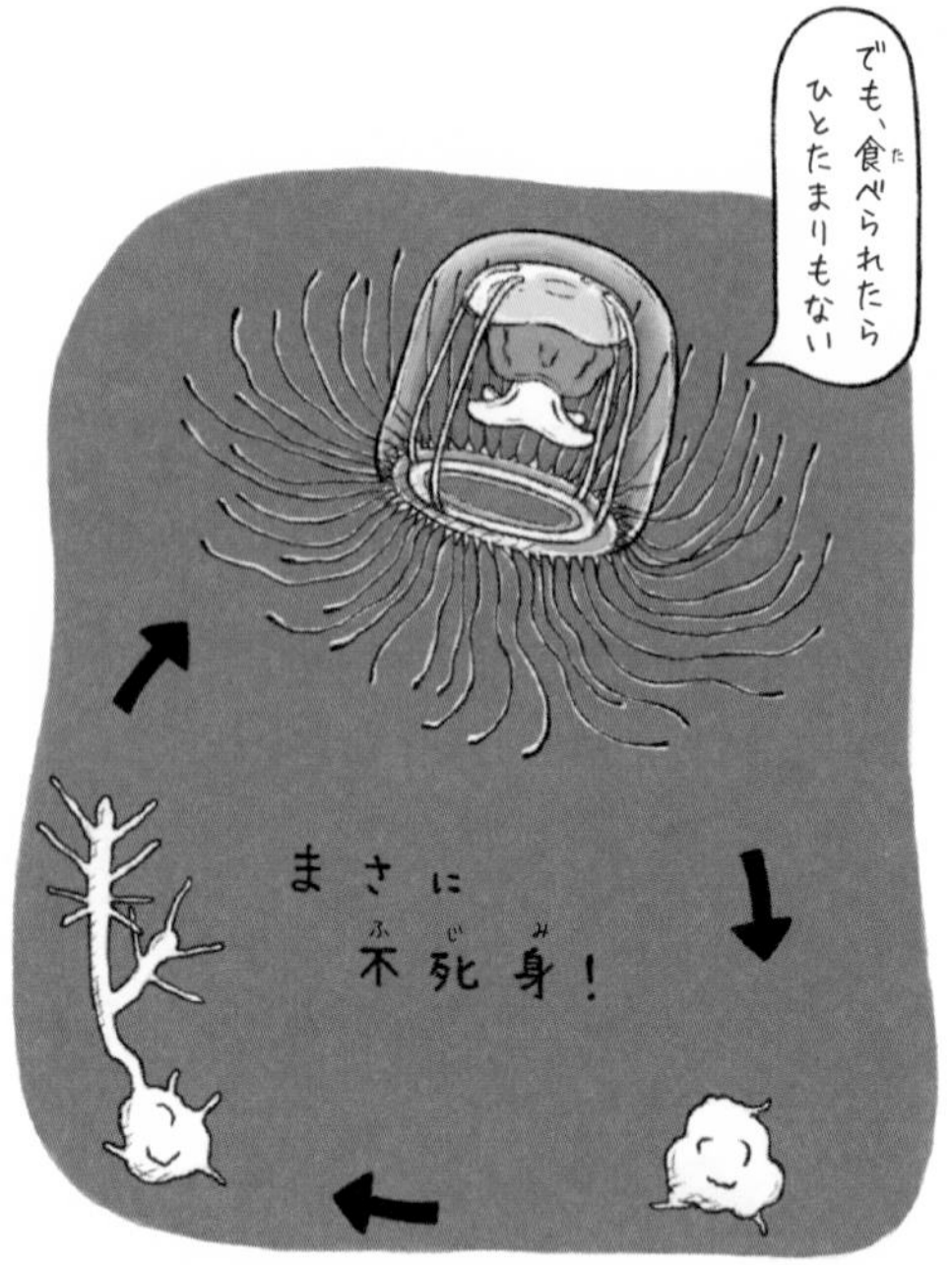
でも、食《た》べられたら
ひとたまりもない
まさに
不死身《ふじみ》！

　ベニクラゲは、世界《せかい》で**ゆいいつ若返《わかがえ》ることのできる生《い》き物《もの》**。かれらは命《いのち》の危険《きけん》を感《かん》じると、団子《だんご》のような丸《まる》い形《かたち》になります。そして根《ね》のようなものをのばして「ポリプ」という状態《じょうたい》になり、岩《いわ》にはりつきます。その後《ご》、まるで植物《しょくぶつ》の種《たね》のように芽《め》を出《だ》すと、**この芽《め》が育《そだ》って新《あたら》しいクラゲになる**のです。

　新《あたら》しくできたクラゲは、遺伝的《いでんてき》には古《ふる》いクラゲとまったく同《おな》じ。つまり、**不老不死《ふろうふし》**ということ。

　人類《じんるい》が成《な》しえない不老不死《ふろうふし》を体《たい》現《げん》しているかれらですが、体《からだ》は小《ち》さく、武器《ぶき》の毒《どく》も激弱《げきよわ》。そのため、**小魚《こざかな》などにパクパク食《た》べられてしまうのが現実《げんじつ》**のようです。

プロフィール

クラゲ類《るい》

■**名前《なまえ》**　ベニクラゲ
■**生息地《せいそくち》**　世界中《せかいじゅう》のあたたかい海《うみ》
■**大《おお》きさ**　全長《ぜんちょう》7㎜
■**とくちょう**　毒針《どくばり》でプランクトンなどをつかまえて食《た》べる

Q　ウシは１日《にち》に何《なん》リットルくらいのよだれを出《だ》す？
→答《こた》えは42ページ

ミサゴは大物《おおもの》をねらいすぎておぼれ死《し》ぬ

でかいのいたわー
うおっ

ミサゴはタカのなかま。するどい爪《つめ》やくちばしで、ほかの生《い》き物《もの》をつかまえて食《た》べます。その**えものの99%は魚《さかな》**です。

かれらは、海《うみ》や川《かわ》の上空《じょうくう》30m付《ふ》近《きん》をぐるぐると回《まわ》りながら飛《と》んでいます。こうして水面近《すいめんちか》くを泳《およ》ぐ魚《さかな》を探《さが》しているのです。

そして、**えものを見《み》つけると、ものすごい速《はや》さでダイブ**。するどい爪《つめ》で魚《さかな》の体《からだ》を串刺《くしざ》しにして、巣《す》まで持《も》ち帰《かえ》って食《た》べるのです。

ただ、まれに**ねらった魚《さかな》が重《おも》すぎて運《はこ》べない**ことも。しかも、魚《さかな》に食《く》いこんだ爪《つめ》が外《はず》れず、そのまま**水中《すいちゅう》に引《ひ》きずりこまれておぼれ死《し》ぬこともある**ようです。

プロフィール

鳥類《ちょうるい》

■**名前《なまえ》**　ミサゴ
■**生息地《せいそくち》**　世界中《せかいじゅう》の湖沼《こしょう》や河川《かせん》
■**大《おお》きさ**　全長《ぜんちょう》59㎝
■**とくちょう**　足《あし》には魚《さかな》をとらえるためのトゲがある

アマガエルは目《め》をつぶらないと食《た》べ物《もの》がのみこめない

アマガエルは、ネバネバの舌《した》で虫《むし》をとらえて口《くち》に入《い》れます。そして、ごくりと丸《まる》のみするわけですが、**人間《にんげん》のように舌《した》を使《つか》って食《た》べ物《もの》をのどに送《おく》ることはできません。**

では、どうするかというと、目《め》玉《だま》を使《つか》います。目《め》をギュッとつぶって**眼球《がんきゅう》を口《くち》の中《なか》におしこみ、食《た》べ物《もの》をのどの奥《おく》に送《おく》る**のです。

これは、**目《め》のまわりに骨《ほね》がない**かれらだからなせる技《わざ》。カエルは陸上《りくじょう》に現《あらわ》れた原始的《げんしてき》な生《い》き物《もの》で、ふつうは口《くち》の中《なか》にあるべき仕切《しき》り板《いた》の「口蓋《こうがい》」がないのです。

目《め》をつぶって食事《しょくじ》をよく味《あじ》わっているかと思《おも》いきや、**のどをつまらせないよう必死《ひっし》**なだけでした。

プロフィール

両生類《りょうせいるい》

- ■**名前《なまえ》**　ニホンアマガエル
- ■**生息地《せいそくち》**　日本《にほん》、東《ひがし》アジアの水田《すいでん》など
- ■**大《おお》きさ**　体長《たいちょう》3.4㎝
- ■**とくちょう**　卵《たまご》をうむとき以外《いがい》は水《みず》に入《はい》らず、木《き》の上《うえ》で生活《せいかつ》する

A 40ページの答《こた》え→　180リットル（ひとり用《よう》のおふろにたまるお湯《ゆ》の量《りょう》くらい）

キバアンコウは歯《は》ならびが悪《わる》すぎる

ひげじゃないよ
歯《は》だよ

キバアンコウは、とても個性的《こせいてき》な歯《は》の持《も》ち主《ぬし》。口《くち》の中《なか》ではなく、まわりから**ストローのように長《なが》い歯《は》が何十本《なんじっぽん》もつき出《で》ています。**生《は》えている方向《ほうこう》もバラバラで、まるで子《こ》どもがてきとうにくっつけた工作《こうさく》のようなざつさです。

ただでさえ不気味《ぶきみ》な見《み》た目《め》ですが、**なんと1本《ぼん》1本《ぼん》動《うご》かすことができます。**しかし、この歯《は》をどう動《うご》かしてえものをつかまえているのかはまったくのなぞ。はたして、**そのせんさいな動《うご》きが本当《ほんとう》にいるのか**どうかさえわかりません。

エビやイカなどを食《た》べていると考《かんが》えられますが、**歯《は》のすきまからかんたんに逃《に》げられそう**です。

プロフィール

硬骨魚類《こうこつぎょるい》

■名前《なまえ》	キバアンコウ	■大《おお》きさ	全長《ぜんちょう》6㎝
■生息地《せいそくち》	太平洋《たいへいよう》、インド洋《よう》、大西洋《たいせいよう》の深海《しんかい》	■とくちょう	オスはメスよりもずっと小《ちい》さく、メスの体《からだ》にくっついて生《い》きる

ホホジロザメは磁石《じしゃく》に負《ま》ける

ホホジロザメの鼻先《はなさき》には、**「ロレンチーニ器官《きかん》」**という超高性能《ちょうこうせいのう》なセンサーがあります。このセンサーによって、かれらは**えものが動《うご》いたときに体《からだ》から出《で》るわずかな電気《でんき》を感《かん》じとる**ことができます。そのため、暗《くら》い海《うみ》でも正確《せいかく》に、えもののいる場所《ばしょ》がわかるのです。

ところがこのセンサー、感度《かんど》がよすぎるあまり、**磁力《じりょく》を近《ちか》づけるだけでくるって使《つか》いものにならなくなってしまいます。**

「人食《ひとく》いザメ」のイメージが強《つよ》いホホジロザメですが、じつは臆病《おくびょう》者《もの》で、磁石《じしゃく》バンドをつけるだけで近寄《ちかよ》ってこれなくなるナイーブな面《めん》もある魚《さかな》のようです。

プロフィール

軟骨魚類《なんこつぎょるい》

■**名前《なまえ》**　ホホジロザメ
■**生息地《せいそくち》**　世界中《せかいじゅう》の海《うみ》
■**大《おお》きさ**　全長《ぜんちょう》6.4m
■**とくちょう**　人《ひと》をおそうこともあり、「白《しろ》い死《し》に神《がみ》」ともよばれる

Q ダイコクコガネの主食《しゅしょく》は何《なに》？

→答《こた》えは46ページ

パフィンは しょっちゅう事《じ》故《こ》を起《お》こす

　パフィンは、その見《み》た目《め》から「ペンギンのなかま？」と思《おも》われがちですが、まったく違《ちが》います。かれらはウミスズメという海《うみ》でくらす鳥《とり》のなかま。**ペンギンと違《ちが》い空《そら》を飛《と》ぶことができる**のです。
　さらに、海《うみ》にもぐって魚《さかな》をとることもできます。顔《かお》と同《おな》じくらい大《おお》きなくちばしは、ふちがギザギザになっていて、**一《いち》度《ど》に30匹《ぴき》もの小《こ》魚《ざかな》をくわえられる**そうです。
　このように、海《うみ》で魚《さかな》をとり、華《か》麗《れい》に空《そら》を飛《と》ぶかれらですが、**最《さい》後《ご》の着《ちゃく》地《ち》でコケまくり**ます。なかまに当《あ》たったり、崖《がけ》からすべり落《お》ちたり……。せっかくとった魚《さかな》がむだになることもしばしばだとか。

プロフィール

鳥《ちょう》類《るい》

- **名《な》前《まえ》**　ニシツノメドリ
- **生《せい》息《そく》地《ち》**　北大西洋《きたたいせいよう》の海上《かいじょう》
- **大《おお》きさ**　体長《たいちょう》25㎝
- **とくちょう**　最大《さいだい》で水深《すいしん》60mまでもぐることができる

オランウータンは雷《かみなり》がこわくて お母《かあ》さんのベッドにもぐりこむ

オランウータンは、夜《よる》になると、木《き》の上《うえ》に**枝《えだ》や葉《は》っぱでベッドをつくって寝《ね》ます**。ベッドづくりにかかる時間《じかん》はわずか3分《ぷん》ですが、ぜいたくにも毎晩《まいばん》新《あたら》しいベッドに寝《ね》るので、かれらは**一生《いっしょう》のうちに1万台以上《まんだいいじょう》のベッドをつくる**のです。

小《ちい》さな子《こ》どもは、母親《ははおや》のまねをしてベッドのつくり方《かた》を覚《おぼ》えます。自分《じぶん》ひとりでつくれるようになるのは4歳《さい》くらい。オランウータンの社会《しゃかい》では、**ベッドがつくれると、やっと一人前《いちにんまえ》**としてみとめられるのです。

それでもやっぱり、心《こころ》はまだ子《こ》ども。**雷《かみなり》が鳴《な》ったときは、ひとりで眠《ねむ》れず、お母《かあ》さんのベッドにもぐりこんで過《す》ごす**のだとか。

プロフィール

ほ乳類《にゅうるい》

- **名前《なまえ》**　ボルネオオランウータン
- **生息地《せいそくち》**　ボルネオ島《とう》の森林《しんりん》
- **大《おお》きさ**　体長《たいちょう》90cm
- **とくちょう**　木《き》からほとんどおりずにくらす

ドングリキツツキはせっせと蓄《たくわ》えたドングリをリスに盗《ぬす》まれる

ドングリキツツキは、1本《ぽん》の木《き》に数百《すうひゃく》から、ときには数万個《すうまんこ》もの穴《あな》を開《あ》けます。そして**この穴《あな》1個《こ》1個《こ》にドングリをつめこむ**のです。

このドングリは非常食《ひじょうしょく》。冬《ふゆ》に食《た》べ物《もの》が少《すく》なくなると、**穴《あな》につめたドングリをとり出《だ》して食《た》べる**のです。しかも、てきとうに入《い》れているわけではありません。ドングリがすきまなくぴったり入《はい》る穴《あな》を探《さが》すことで、かんたんに取《と》られないように工夫《くふう》しているようです。

しかし、そんな努力《どりょく》もむなしく、**リスなどに盗《ぬす》まれまくります。**そのうえドングリは乾燥《かんそう》すると縮《ちぢ》むため、古《ふる》くなったものを別《べつ》の穴《あな》につめかえる作業《さぎょう》も欠《か》かせません。

プロフィール

鳥類《ちょうるい》

■名前《なまえ》 ドングリキツツキ
■生息地《せいそくち》 北《きた》アメリカから中央《ちゅうおう》アメリカの森林《しんりん》
■大《おお》きさ 全長《ぜんちょう》20cm
■とくちょう 何羽《なんわ》かでグループをつくり、ひとつのなわばりをもつ

Q サバクツノトカゲが敵《てき》にくり出《だ》す必殺技《ひっさつわざ》は？ →答《こた》えは56ページ

ダイアウルフは作戦《さくせん》ミスで命《いのち》を落《お》とした

約《やく》1万年前《まんねんまえ》まで、ダイアウルフという巨大《きょだい》なオオカミがいました。かれらのえものは、大型《おおがた》の動物《どうぶつ》。ウマやバイソン、**ときにはマンモスまで集団《しゅうだん》でおそって食《た》べました。**

しかし、なかまと協力《きょうりょく》するとはいえ、さすがにマンモスと正面《しょうめん》から戦《たたか》えば無傷《むきず》ではすみません。そこで、「タール」という黒《くろ》くてねばねばした液体《えきたい》がわく池《いけ》を利用《りよう》しました。この池《いけ》にえものを追《お》いこみ、**ねばねばで動《うご》けなくなったところをしとめた**のです。

その結果《けっか》、多《おお》くのダイアウルフが、えものとともに**ぬかるみにはまって水没《すいぼつ》**。のちに２０００頭《とう》以《い》上《じょう》の化石《かせき》が池《いけ》から見《み》つかりました。

プロフィール

ほ乳類《にゅうるい》

- **名前《なまえ》**　ダイアウルフ（絶滅種《ぜつめつしゅ》）
- **生息地《せいそくち》**　北《きた》アメリカの草原《そうげん》など
- **大《おお》きさ**　体長《たいちょう》1.4m
- **とくちょう**　狩《か》りをするよりも動物《どうぶつ》の死《し》体《たい》を食《た》べるほうが多《おお》かった

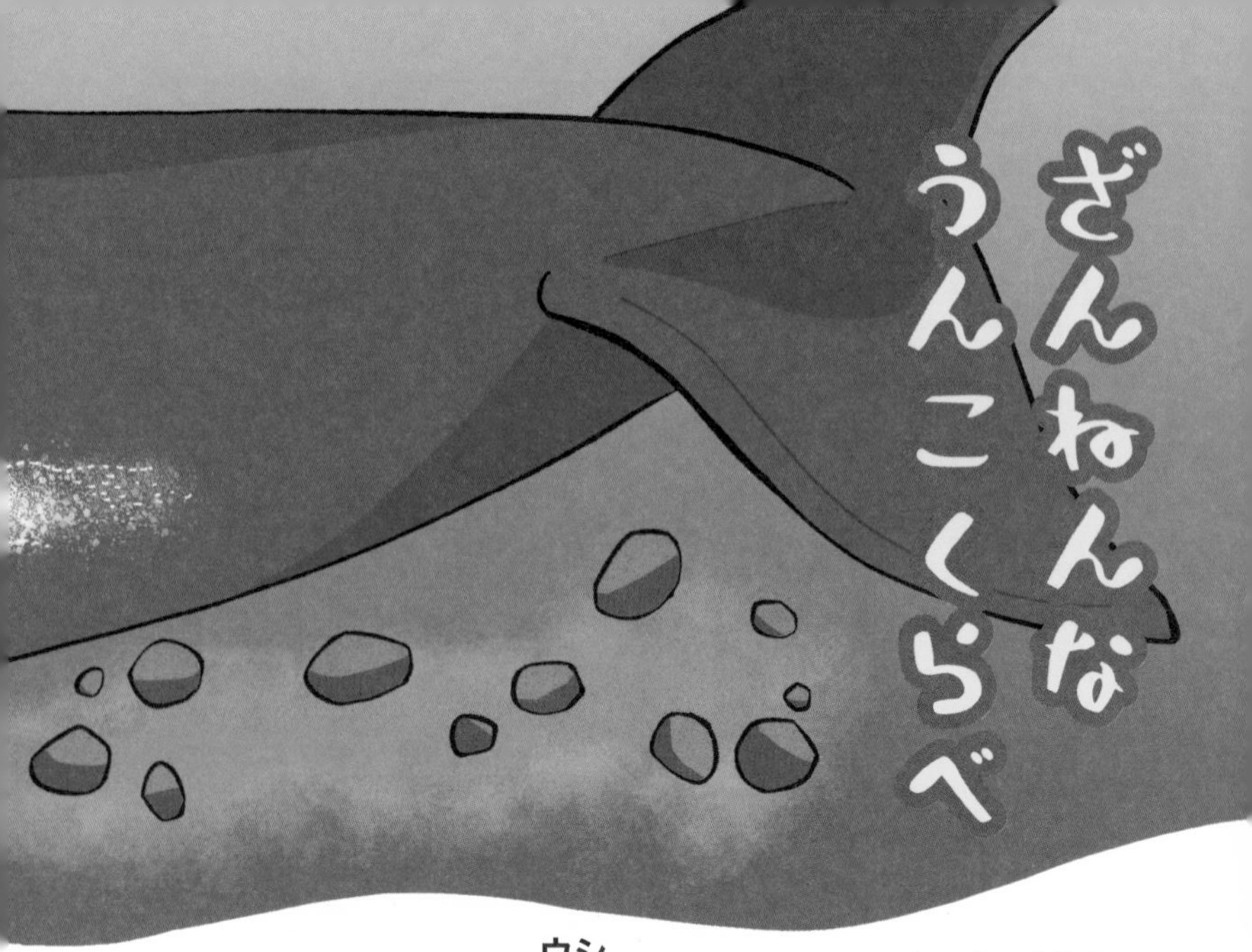

ざんねんなうんこくらべ

生《い》き物《もの》のうんこは、じつにまちまち。大《おお》きかったり、小《ちい》さかったり、変《へん》な形《かたち》をしていたり……うんこを知《し》れば、その生《い》き様《ざま》を知《し》ることもできます。ふしぎでステキなうんこを、くらべてみましょう！

ウシ

体内《たいない》で死《し》んだ微生物《びせいぶつ》もいっしょに排泄《はいせつ》するので、食《た》べた量《りょう》の２倍《ばい》のうんこが出《で》ます

コンドル

死《し》んだ生《い》き物《もの》の肉《にく》を食《た》べるので、くさった肉《にく》をさらに何倍《なんばい》もくさくしたにおいがします

オレンジ色《いろ》のうんこ、
おしゃれでしょ？
うんこが砂《すな》で
何《なに》が悪《わる》い
うんこのデカさは
負《ま》けません
100kg
うんこには
こだわりたい

カンムリブダイ

大量《たいりょう》のサンゴを食《た》べるので、うんこは白《しろ》い砂《すな》になります

シロナガスクジラ

オレンジ色《いろ》をしたオキアミなどを食《た》べるので、うんこがオレンジ色《いろ》です

アフリカゾウ

たくさんの草木《くさき》を食《た》べ、1日《にち》に100kgものうんこをします

ヤママユ

うんこの断面《だんめん》がお花《はな》のような形《かたち》をしています

進化《しんか》の東西南北《とうざいなんぼく》

1 ゾウの体《からだ》が違《ちが》うわけ

どーもー、アフリカゾウです。
ぼくらは、見渡《みわた》しのいいサバンナにすんでいるよ。
肉食獣《にくしょくじゅう》がひそむ広大《こうだい》なサバンナで、食料《しょくりょう》を確保《かくほ》しながら
移動《いどう》するには、体《からだ》が大《おお》きいほうが有利《ゆうり》だったんだ。
耳《みみ》も大《おお》きいんだけど、これは暑《あつ》いサバンナで
耳《みみ》から熱《ねつ》を逃《に》がすためさ。
長《なが》い牙《きば》は敵《てき》と戦《たたか》うのに役《やく》立《だ》つし、土《つち》もほれて便利《べんり》だよ！

こんにちは、アジアゾウです。
ぼくらはアジアの森《もり》にすんでるから、体《からだ》が小《ちい》さめなんだ。
森《もり》の中《なか》を動《うご》き回《まわ》るのに、

肉食獣《にくしょくじゅう》に負《ま》けない大《おお》きな体《からだ》
熱《ねつ》を逃《に》がすための大《おお》きな耳《みみ》
土《つち》をほって食《た》べるための長《なが》い牙《きば》

アフリカゾウ

体《からだ》が大《おお》きすぎるとじゃまになるからね。
耳《みみ》まで小《ちい》さめにして、けっこうこだわっているでしょ？
森《もり》の中《なか》の生活《せいかつ》は太陽《たいよう》の光《ひかり》が直接《ちょくせつ》あたらないから
アフリカゾウさんほど耳《みみ》も大《おお》きい必要《ひつよう》がなかったんだ！

アジアゾウ

ねん

第《だい》3章《しょう》

体《からだ》がざん

みんな体《からだ》は違《ちが》って当然《とうぜん》ですが、
「なんでそんな姿《すがた》になったのだろう」と
気《き》になってしかたない生《い》き物《もの》たちもいるのです。

パラパラ劇場《げきじょう》

ハリセンボンが
本気《ほんき》を出《だ》すと……

マツボックリはリスに食《た》べられてエビフライみたいになる

秋《あき》の森《もり》を散歩《さんぽ》すると、**行《ゆ》く手《て》にいきなりエビフライを発見《はっけん》**することがあります。それも、1個《こ》ではなく何十個《なんじっこ》も。この大量《たいりょう》のエビフライは、遠足《えんそく》のお弁当《べんとう》から落《お》っこちてしまったもの……ではもちろんなく、マツボックリです。そして、**エビフライそっくりの形《かたち》にした犯人《はんにん》は、リスなの**です。

リスはマツボックリが大好物《だいこうぶつ》。イガイガのつけ根《ね》には、**栄養《えいよう》たっぷりのおいしい種《たね》がついているか**らです。リスは、その種《たね》を食《た》べるために前歯《まえば》でザクザクとイガイガをけずりますが、そうしてできあがったのが、エビフライの姿《すがた》をしたマツボックリというわけです。

プロフィール

植物《しょくぶつ》

- **名前《なまえ》** アカマツ
- **生息地《せいそくち》** 北海道《ほっかいどう》から九州《きゅうしゅう》などの山地《さんち》
- **大《おお》きさ** 高《たか》さ25m
- **とくちょう** 根《ね》にはマツタケの菌《きん》が寄生《きせい》するので、マツタケが生《は》える

A 48ページの答《こた》え→ 目《め》から血《ち》を飛《と》ばす

ミャンマーシシバナザルは雨《あめ》が降《ふ》るとくしゃみが止《と》まらない

これだから雨《あめ》はいやなのよね
くしゅん
くしゅん

晴《は》れた日《ひ》は、花粉《かふん》でくしゃみが止《と》まらなくなるという人《ひと》も少《すく》なくないでしょう。いっぽう、ミャンマーシシバナザルは、**雨《あめ》の日《ひ》にくしゃみが止《と》まらなくなります。**

理由《りゆう》は、個性的《こせいてき》な鼻《はな》の形《かたち》にありました。シシバナザルは、「獅子鼻《ししばな》」という名《な》のとおり、**獅子舞《ししまい》のように鼻《はな》がしゃくれ上《あ》がっています。**おかげで、雨《あめ》の日《ひ》は鼻《はな》の中《なか》にどんどん水《みず》が流《なが》れこんできて、くしゃみを連発《れんぱつ》。くしゃみの音《おと》で、**現地《げんち》のハンターに居場所《いばしょ》がばれてしまう**ほどだそうです。

そのため、雨《あめ》が降《ふ》ると、頭《あたま》をヒザの間《あいだ》にはさんで下《した》を向《む》いたまま、じっとやむのを待《ま》つのだとか。

プロフィール

ほ乳《にゅう》類《るい》

- **名前《なまえ》**　ミャンマーシシバナザル
- **生息地《せいそくち》**　ミャンマー北部《ほくぶ》の山地《さんち》の森《しん》林《りん》
- **大《おお》きさ**　体長《たいちょう》56㎝
- **とくちょう**　木《き》の上《うえ》でくらすが好物《こうぶつ》のタケノコを食《た》べに木《き》から降《お》りる

キジオライチョウは おっぱいで結婚相手《けっこんあいて》を選《えら》ぶ

　男《おとこ》の人《ひと》が、女《おんな》の人《ひと》のおっぱいを真剣《しんけん》に見《み》つめていたら、ほぼ確実《かくじつ》に「変態《へんたい》」といわれます。

　しかし、鳥《とり》であるキジオライチョウは、**おっぱいを真剣《しんけん》に見《み》て結婚相手《けっこんあいて》を決《き》めます。**しかも、人間《にんげん》とは逆《ぎゃく》で、**メスがオスのおっぱいを見《み》つめる**のです。

　かれらは3～5月《がつ》になると、同《おな》じ場所《ばしょ》に集《あつ》まってお見合《みあ》いをします。そのときオスたちは、**胸《むね》にある2つの黄色《きいろ》い袋《ふくろ》を大《おお》きくふくらませてメスにアピールする**のです。

　メスはその大《おお》きさと、胸《むね》をふくらませたときに鳴《な》るポンポンという音《おと》のひびきで、理想《りそう》のパートナーを選《えら》びます。

プロフィール

鳥類《ちょうるい》

■**名前《なまえ》**　キジオライチョウ
■**生息地《せいそくち》**　北《きた》アメリカの平原《へいげん》
■**大《おお》きさ**　全長《ぜんちょう》80cm（オス）
■**とくちょう**　卵《たまご》からかえってわずか1週間《しゅうかん》で短《みじか》い距離《きょり》を飛《と》べる

Q ザリガニはどこからおしっこをする？　→答《こた》えは60ページ

ハリセンボンの針《はり》は1000本《ぼん》もない

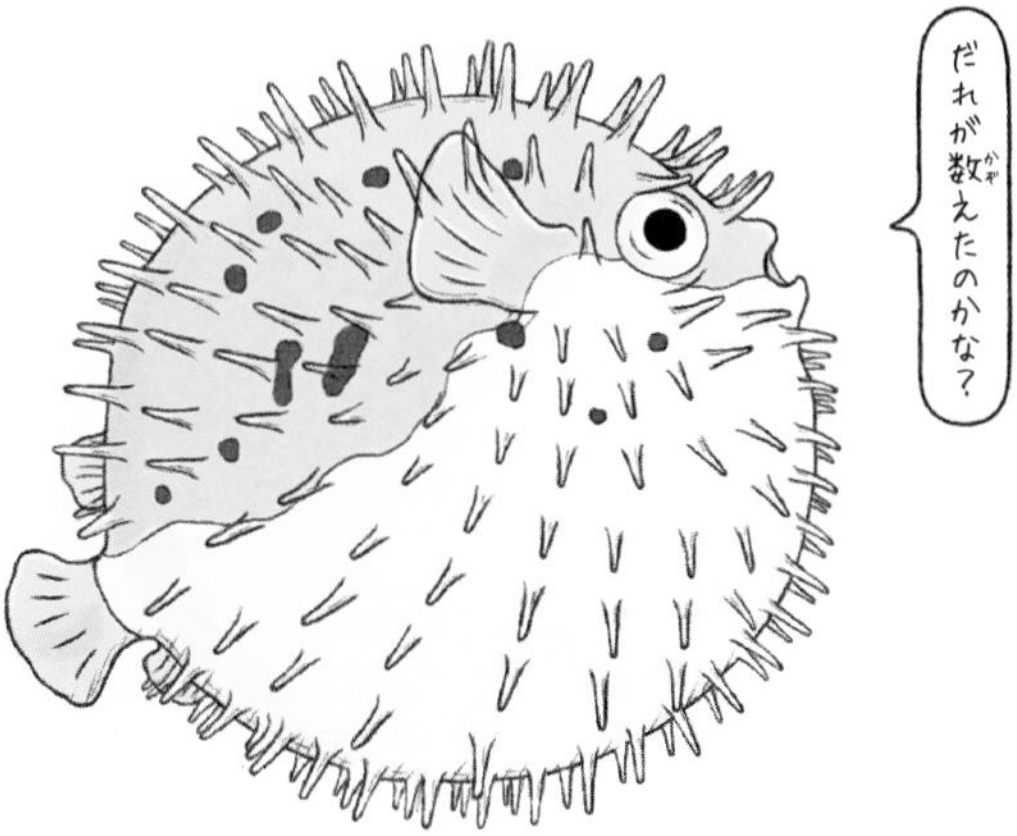

　ハリセンボンは、危《き》険《けん》を感《かん》じると、体中《からだじゅう》をするどい針《はり》でおおって無敵状態《むてきじょうたい》になります。**この針《はり》はウロコが変化《へんか》したもの。**ふだんは寝《ね》かせていますが、水《みず》や空気《くうき》を吸《す》いこんで体《からだ》をふくらませると、ピンと立《た》ち上《あ》がるのです。

　ところで、ハリセンボンは、本《ほん》当《とう》に針《はり》が１０００本《ぼん》もあるのでしょうか？　**実際《じっさい》に１０００匹《びき》ぶんの針《はり》を数《かぞ》えた人《ひと》がいます。**その結果《けっか》、最多《さいた》は４９２本《ほん》、最少《さいしょう》は３１４本《ほん》、平均《へいきん》は約《やく》３７０本《ぼん》でした。

　つまりハリセンボンは、正確《せいかく》には**「ハリヨンヒャッポンクライ」**なのですが、よびにくいのでそのままにしておきましょう。

プロフィール

硬骨魚類《こうこつぎょるい》

■**名前《なまえ》**　ハリセンボン
■**生息地《せいそくち》**　熱帯《ねったい》から温帯《おんたい》の沿岸《えんがん》
■**大《おお》きさ**　全長《ぜんちょう》30㎝
■**とくちょう**　じょうぶな歯《は》で、貝類《かいるい》や甲殻《こうかく》類《るい》を殻《から》ごとくだいて食《た》べる

パラサウロロフスのりっぱなとさか。その中身《なかみ》はからっぽ

　パラサウロロフスは、白亜紀後《はくあきこう》期《き》に北《きた》アメリカ大陸《たいりく》にいた恐竜《きょうりゅう》です。なんといっても目《め》を引《ひ》くのが、頭《あたま》のてっぺんにある大《おお》きなとさか。強力《きょうりょく》な武器《ぶき》になると思《おも》いきや、**中《なか》はスカスカのからっぽ**です。

　このとさかは、鼻《はな》から吸《す》った空《くう》気《き》を中《なか》の空洞《くうどう》にひびかせることで、**ラッパのように音《おと》を出《だ》すことができた**と考《かんが》えられています。大《おお》きな音《おと》を出《だ》して、遠《とお》くにいるなかまとコミュニケーションをとっていたのかもしれません。

　発見《はっけん》された当初《とうしょ》は、**忍者《にんじゃ》のように水中《すいめん》で息《いき》をするための管《くだ》**というかっこいい説《せつ》も出《で》たのですが、骨《ほね》の先《さき》に穴《あな》がなく否定《ひてい》されました。

プロフィール

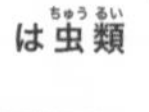

は虫類《ちゅうるい》

- **名前《なまえ》**　パラサウロロフス（絶滅種《ぜつめつしゅ》）
- **生息地《せいそくち》**　北《きた》アメリカ
- **大《おお》きさ**　全長《ぜんちょう》12m
- **とくちょう**　生息数《せいそくすう》は少《すく》なかったのではないかといわれている

A　58ページの答《こた》え→　顔《かお》

アンデスイワドリはヤンキーに見《み》られがち

見《み》てんじゃねーよ
てれるだろ

メスの気《き》を引《ひ》いたり、敵《てき》やライバルをこわがらせたりするために、派手《はで》な格好《かっこう》や自分《じぶん》を大《おお》きく見《み》せる動作《どうさ》をすることを、動物学《どうぶつがく》では**「ディスプレイ」**といいます。

南《みなみ》アメリカの高山地帯《こうざんちたい》にすむアンデスイワドリも、ディスプレイをする鳥《とり》のひとつ。上半身《じょうはんしん》をド派《は》手《で》なオレンジ色《いろ》に染《そ》め、**頭《あたま》の羽《はね》をリーゼントのように大《おお》きくふくらませる**ことで、メスに自分《じぶん》の魅力《みりょく》をアピールします。

その姿《すがた》は、昭和《しょうわ》のヤンキーのよう。逆《ぎゃく》に考《かんが》えると、ヤンキーのとがった髪型《かみがた》は、**ディスプレイとして有効《ゆうこう》で、動物学的《どうぶつがくてき》に見《み》ると正解《せいかい》**なのかもしれません。

プロフィール

鳥類《ちょうるい》

■**名前《なまえ》**　アンデスイワドリ

■**生息地《せいそくち》**　中南米《ちゅうなんべい》の森林《しんりん》

■**大《おお》きさ**　全長《ぜんちょう》32㎝

■**とくちょう**　オスはレックという集団《しゅうだん》をつくってメスに求愛《きゅうあい》する

ワオキツネザルの1日《にち》は太陽《たいよう》をおがまないと始《はじ》まらない

Q マッコウクジラの頭《あたま》のなかにつまっているものは？

→答《こた》えは64ページ

ワオキツネザルは、**体温調節《たいおんちょうせつ》がとても苦手《にがて》。**体《からだ》が冷《ひ》えやすいので、太陽《たいよう》の光《ひかり》をたっぷり浴《あ》びて、あたたまらないと動《うご》けません。

そのため、かれらは朝《あさ》がくると、**すぐに日当《ひあ》たりのよい場所《ばしょ》に集《あつ》まって太陽《たいよう》をおがみます。**金色《きんいろ》にかがやく光《ひかり》の中《なか》で、静《しず》かにじっと目《め》を閉《と》じて両腕《りょううで》を広《ひろ》げる。その姿《すがた》は、まさにすべてを受《う》け入《い》れんとする慈愛《じあい》のポーズ……に見《み》えなくもありませんが、実際《じっさい》は、胸《むね》やおなかに血管《けっかん》が多《おお》く集《あつ》まっているため、**早《はや》く体《からだ》をあたためるのに都《つ》合《ごう》がいいだけ**なのです。

それでも体《からだ》があたたまらない日《ひ》は、長《なが》いしっぽをマフラーのように首《くび》にまいて、寒《さむ》さをしのぎます。

プロフィール

ほ乳類《にゅうるい》

- **名前《なまえ》**　ワオキツネザル
- **生息地《せいそくち》**　マダガスカル島《とう》の林《はやし》
- **大《おお》きさ**　体長《たいちょう》40㎝
- **とくちょう**　オスは手首《てくび》の内側《うちがわ》からにおいを出《だ》し、マーキングをする

ハニーポッサムは 体《からだ》の3分《ぶん》の1が金玉《きんたま》

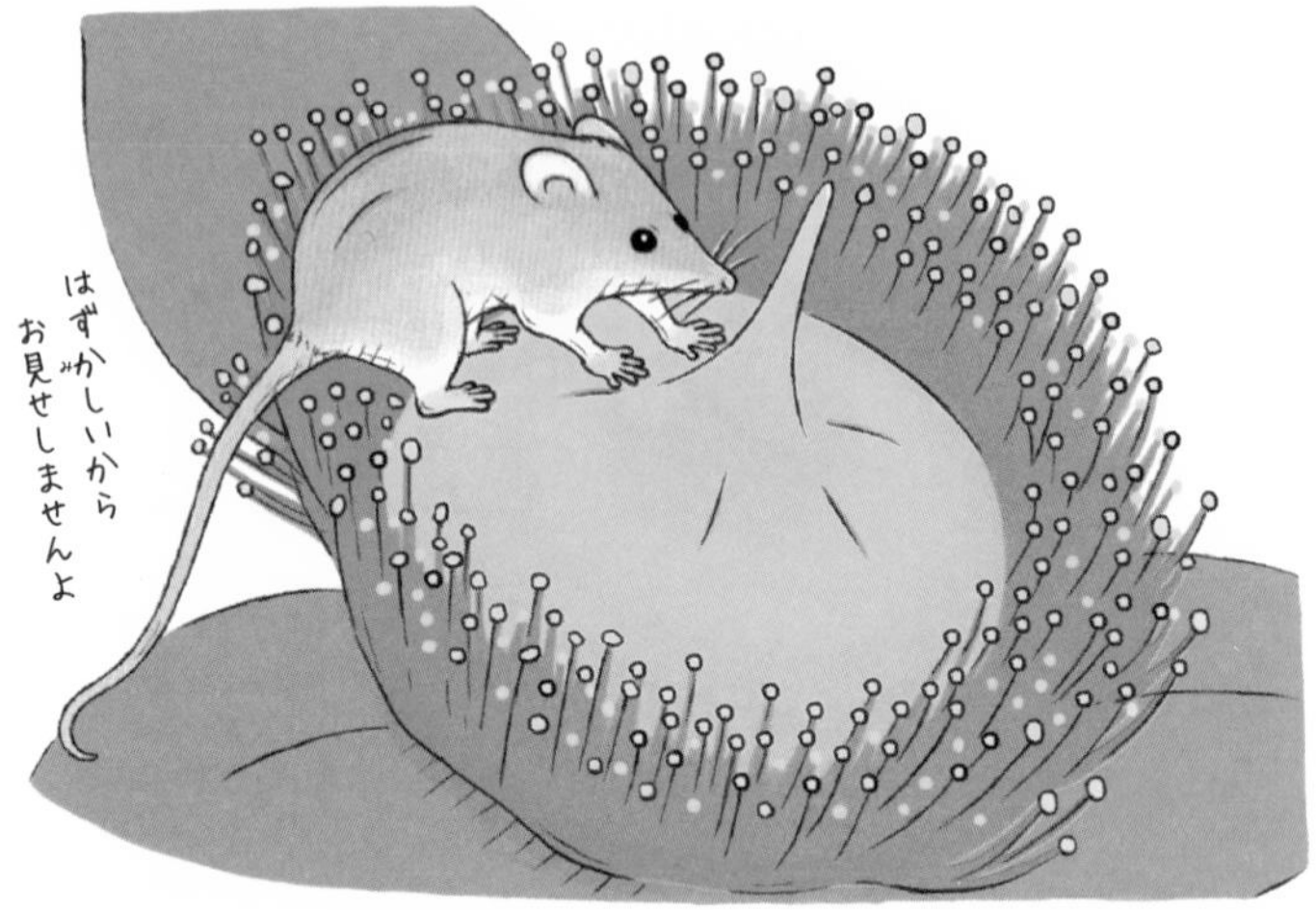
はずかしいから
お見《み》せしませんよ

　ハニーポッサムは**花《はな》のみつだけを食《た》べて生《い》きています。**そんなかたよった食生活《しょくせいかつ》のせいか、体長《たいちょう》は10cm以下《いか》、体重《たいじゅう》も10gと小《ちい》さく、子《こ》どもにいたっては0・005g**と、1円玉《えんだま》の200分《ぶん》の1の重《おも》さ**しかありません。

　そんなかれらにも、ひとつだけ大《おお》きなものがあります。**オスの金《きん》玉《たま》**です。大《おお》きさは約《やく》3cmあり、なんと体《からだ》の3分《ぶん》の1を占《し》めるとか。**人間《にんげん》で考《かんが》えると、スイカサイズの金玉《きんたま》をもつ**ことになります。

　強《つよ》い精子《せいし》をつくり、子《こ》を残《のこ》しやすくするためと考《かんが》えられますが、さすがに大《おお》きすぎやしないかと思《おも》わずにはいられません。

プロフィール

ほ乳類《にゅうるい》

■名前《なまえ》　ハニーポッサム（和名《わめい》はフクロミツスイ）
■生息地《せいそくち》　オーストラリア南西部《なんせいぶ》の沿岸《えんがん》
■大《おお》きさ　体長《たいちょう》8cm
■とくちょう　母親《ははおや》のおなかにある袋《ふくろ》の中《なか》で子育《こそだ》てをする有袋類《ゆうたいるい》

A 62ページの答《こた》え→ 油《あぶら》

ハルキゲニアはずっとさかさまだと思《おも》われていた

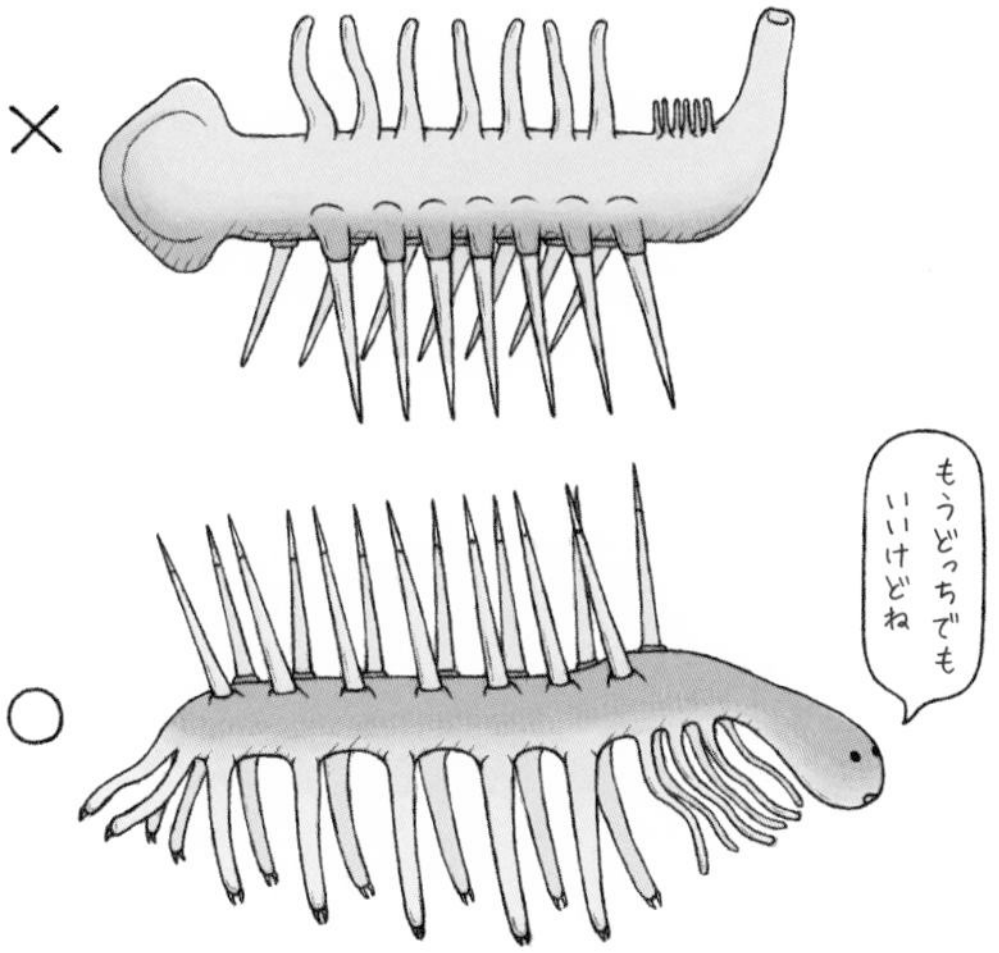
×
○
もうどっちでもいいけどね

約《やく》5億年前《おくねんまえ》の海《うみ》には「バージェス・モンスターズ」とよばれる、ふしぎな形《かたち》をした生《い》き物《もの》がたくさんいました。なかでも**「幻覚《げんかく》を生《う》むもの」という意味《いみ》の名前《なまえ》**をもつハルキゲニアは、その名《な》のとおり、古生物学者《こせいぶつがくしゃ》に幻覚《げんかく》を見《み》せました。

1970年代《ねんだい》に発表《はっぴょう》された最初《さいしょ》の復元図《ふくげんず》では、**背中《せなか》の長《なが》いとげは足《あし》だとかん違《ちが》いされていました。**さらに、大《おお》きな頭《あたま》の化石《かせき》だと思《おも》われていた部分《ぶぶん》は、土《つち》に埋《う》もれたときにおしつぶされて、**おしりから出《で》た汁《しる》のしみだった**のです。

上下《じょうげ》も前後《ぜんご》も間違《まちが》われていたわけですが、もう絶滅《ぜつめつ》しているかれらには知《し》るよしもありません。

プロフィール

?
不明《ふめい》

■名前《なまえ》　ハルキゲニア（絶滅種《ぜつめつしゅ》）
■生息地《せいそくち》　世界中《せかいじゅう》の海《うみ》
■大《おお》きさ　体長《たいちょう》3㎝
■とくちょう　大《おお》きな動物《どうぶつ》の死《し》がいにむらがって食《た》べていたとされる

キンギョは年《とし》ごろになると ニキビができる

ぶつぶつはおとなの
男《おとこ》の証《あかし》なのさ

年《とし》ごろの男女《だんじょ》を悩《なや》ませるニキビ。じつはキンギョにもできます。おとなになると、えらぶたの上《うえ》や胸《むね》ビレに、**かたくて白《しろ》いぶつぶつがたくさんあらわれる**のです。

この**ぶつぶつは、「追星《おいぼし》」とよばれるもの**で、オスにしかできません。また、コイやタナゴなど、ほかの数種類《すうしゅるい》の魚《さかな》にもあらわれます。追星《おいぼし》のできたオスは、おなかにたくさんの卵《たまご》をかかえたメスを追《お》いかけ、積極的《せっきょくてき》に子《こ》どもをつくろうとするのです。

なかにはライバルに勝《か》つための武器《ぶき》にする魚《さかな》もいて、相手《あいて》に体《からだ》をぶつけて**おろし金《がね》のように追星《おいぼし》で皮《ひ》ふを傷《きず》つける**ようです。

プロフィール

硬骨魚類《こうこつぎょるい》

■**名前《なまえ》**　キンギョ
■**生息地《せいそくち》**　世界中《せかいじゅう》で飼《か》われている
■**大《おお》きさ**　全長《ぜんちょう》11㎝
■**とくちょう**　日本《にほん》には、室町時代《むろまちじだい》に中国《ちゅうごく》から伝来《でんらい》したとされる

Q サバンナモンキーの金玉《きんたま》は何色《なにいろ》？

→答《こた》えは68ページ

ざんねん度《ど》

キンギョソウはかれるとドクロになる

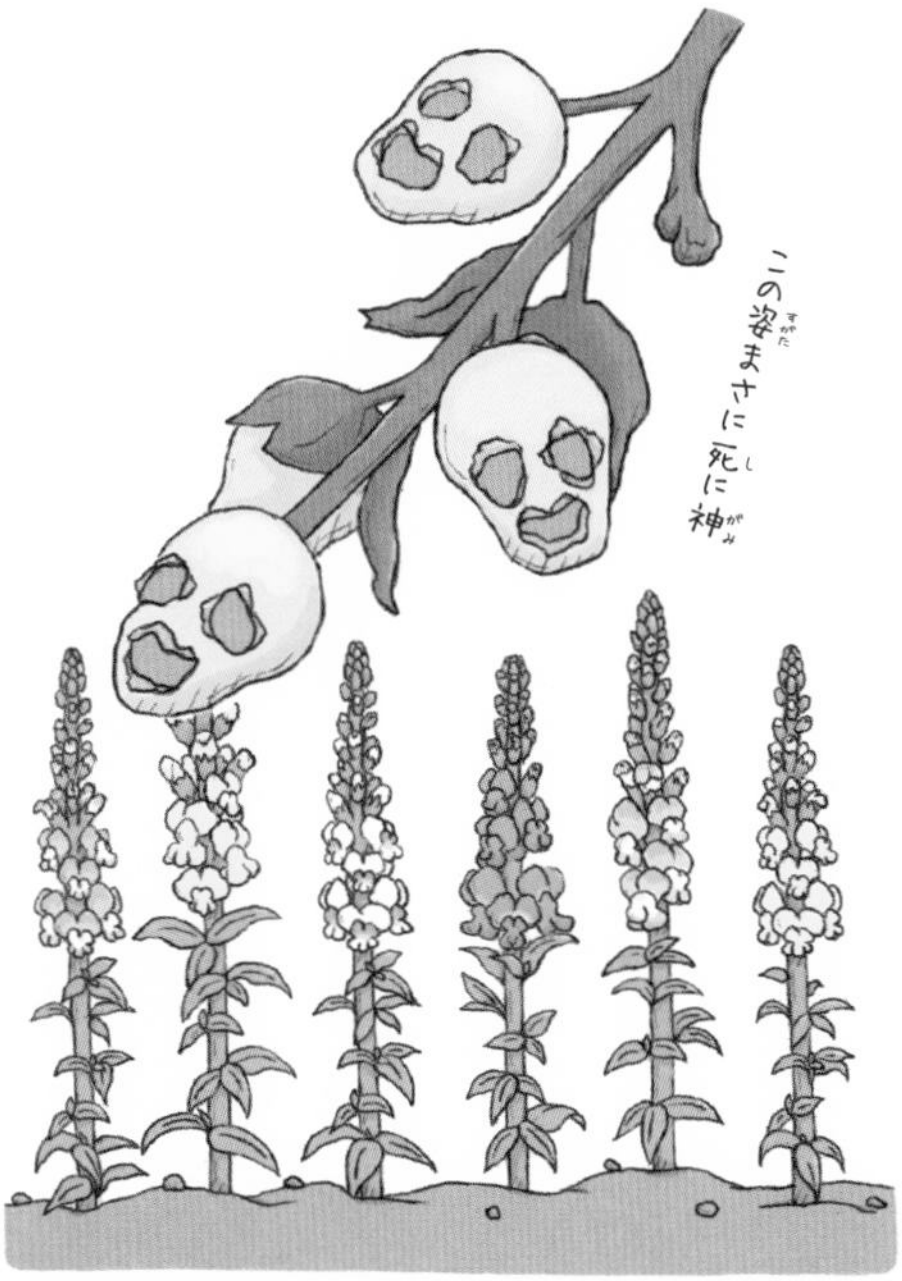

キンギョソウは春《はる》から初夏《しょか》にかけて、ふっくらとしたかわいい花《はな》をさかせます。その形《かたち》が、**ヒレを広《ひろ》げて泳《およ》ぐキンギョに似《に》ている**ことから、その名《な》がつきました。

ところが、花《はな》が落《お》ちると、その姿《すがた》は一変《いっぺん》。**たくさんの小《ちい》さなドクロがボコボコとあらわれます**。

このドクロの正体《しょうたい》は、さや。※花《はな》がかれると茶色《ちゃいろ》く丸《まる》いさやに3つの穴《あな》が開《あ》き、まるでドクロの両目《りょうめ》と口《くち》のように見《み》えるのです。

古代《こだい》では、キンギョソウには霊《れい》的《てき》な力《ちから》があり、食《た》べると若《わか》さと美《うつく》しさが得《え》られるといわれたそうですが、この姿《すがた》からは**呪《のろ》われる未来《みらい》しか想像《そうぞう》できません**。

※種《たね》をつつんでいる殻《から》

プロフィール

植物《しょくぶつ》

- ■**名前《なまえ》**　キンギョソウ
- ■**生息地《せいそくち》**　原産地《げんさんち》はヨーロッパとアフリカの地中海沿岸部《ちちゅうかいえんがんぶ》
- ■**大《おお》きさ**　高《たか》さ60㎝
- ■**とくちょう**　赤《あか》、ピンク、白《しろ》など、とても豊富《ほうふ》な花《はな》の色《いろ》がある

タンチョウの赤《あか》い頭《あたま》はハゲ

バレたらとたんにはずかしい

タンチョウは昔《むかし》の千円札《せんえんさつ》にも描《えが》かれていた日本《にほん》を代表《だいひょう》するツルのなかま。漢字《かんじ》で「丹《たん》」は赤《あか》い色《いろ》、「頂《ちょう》」はてっぺんをあらわします。

その名《な》のとおり、頭《あたま》のてっぺんだけまっ赤《か》なかれらですが、じつはこれ、赤《あか》い羽毛《うもう》が生《は》えているわけではありません。赤《あか》い肌《はだ》が見《み》えている、**つまりハゲているのです。**

赤《あか》く見《み》える理由《りゆう》は、**皮《ひ》ふがうすくて血《ち》の色《いろ》が透《す》けて見《み》えているから**。しかも、小《ちい》さな肉《にく》のこぶが何《なん》百個《びゃっこ》も集《あつ》まってできています。

人間《にんげん》でいうと、**頭《あたま》がボコボコの落《お》ち武者《むしゃ》みたいなもの**なのですが、それでも上品《じょうひん》さを失《うしな》わないところが、さすが日本代表《にほんだいひょう》です。

プロフィール

鳥類《ちょうるい》

■**名前《なまえ》**　タンチョウ
■**生息地《せいそくち》**　北海道《ほっかいどう》の湿原《しつげん》
■**大《おお》きさ**　全長《ぜんちょう》1.4m
■**とくちょう**　一度《いちど》つがいになると、その関係《かんけい》は一生続《いっしょうつづ》く

A 66ページの答《こた》え→　スカイブルー（青《あお》）

ざんねん度《ど》

ガラパゴスゾウガメはひっくり返《かえ》ると立《た》ち直《なお》れない

世界最大《せかいさいだい》の陸《りく》ガメであるガラパゴスゾウガメは、なにもかもがビッグです。体重《たいじゅう》300kg、平均《へいきん》寿命《じゅみょう》は100歳《さい》、さらに、体《からだ》の中《なか》に大量《たいりょう》の水分《すいぶん》を蓄《たくわ》えられるため、**飲《の》まず食《く》わずでも最長《さいちょう》で1年《ねん》は生《い》きられます。**

ただし、**ひっくり返《かえ》ると死《し》にます。**ほかのカメは首《くび》をのばし地面《じめん》をおして元《もと》にもどれますが、かれらは首《くび》が地面《じめん》に届《とど》かないため、自《じ》力《りき》では起《お》き上《あ》がれないのです。

ただ、甲羅《こうら》の形《かたち》には丸《まる》いタイプと角《かく》ばったタイプの2種類《しゅるい》があり、丸《まる》いタイプなら**ブランコのように左右《さゆう》にゆらゆらゆすって元《もと》にもどれる**こともあるといいます。

プロフィール

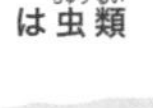
は虫類《ちゅうるい》

■**名前《なまえ》**　ガラパゴスゾウガメ

■**生息地《せいそくち》**　ガラパゴス諸島《しょとう》の草原《そうげん》や森林《しんりん》など

■**大《おお》きさ**　こうらのはば1m

■**とくちょう**　草《くさ》や葉《は》、サボテンを食《た》べ、1日《にち》16時間《じかん》ほど寝《ね》る

サルパは自由《じゆう》に体《からだ》を使《つか》われる

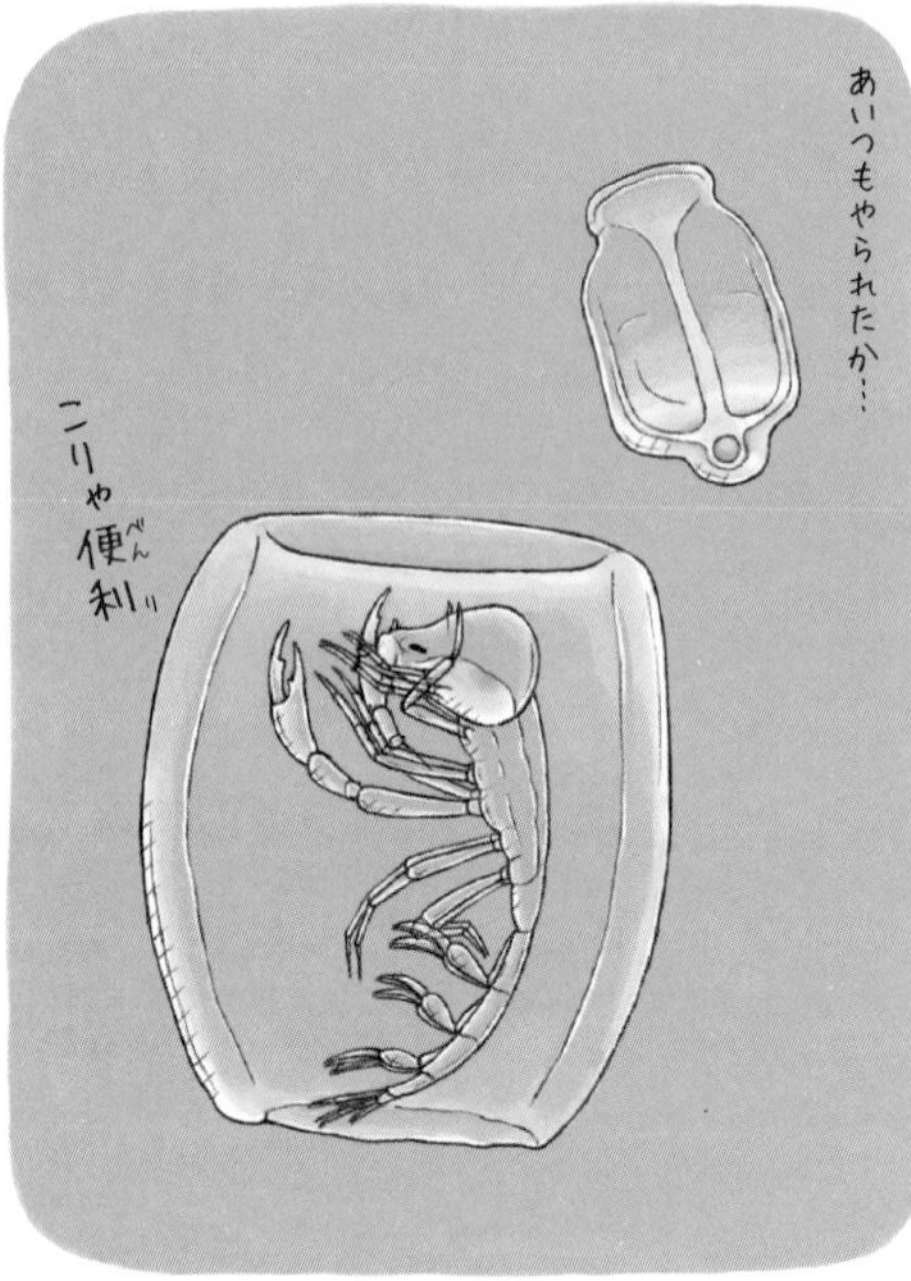
あいつもやられたか…
こりゃ便《べん》利

サルパは、透明《とうめい》なゼリーのような体《からだ》をした海《うみ》の生《い》き物《もの》。樽《たる》のような形《かたち》をしていて、いつも海《うみ》をゆらゆらとただよっています。

この樽《たる》のような体《からだ》は、少《すく》ない力《ちから》で泳《およ》ぐのにとても役立《やくだ》つのですが、自分《じぶん》たちだけではなく、**ほかの生《い》き物《もの》にとっても便利《べんり》な体《からだ》に**なってしまったようです。

たとえば、オオタルマワシはサルパの樽《たる》の**中身《なかみ》を食《た》べて、そのまま中《なか》にすみつきます。**ほかにも、サンマが卵《たまご》を守《まも》るシェルターにしたり、小型《こがた》のタコが上着《うわぎ》にしたりもします。**さまざまな生《い》き物《もの》がかれらを海《うみ》の便利《べんり》グッズのように活用《かつよう》している**ようです。

プロフィール

タリア類《るい》

■名前《なまえ**》　サルパ
■生息地《せいそくち》　世界中《せかいじゅう》の海《うみ》
■大《おお》きさ　全長《ぜんちょう》5cm
■とくちょう　体《からだ》をのび縮《ちぢ》みさせることで、海水《かいすい》をふき出《だ》して移動《いどう》する

Q「カピバラは○○○されると寝《ね》てしまう」○○○に入《はい》るのは？
→答《こた》えは72ページ

ざんねん度《ど》

ケツァールは羽《はね》がはみ出《で》て敵《てき》に見《み》つかる

「世界《せかい》一《いち》美《うつく》しい鳥《とり》」ともいわれるケツァール。美《うつく》しさの決《き》め手《て》は、オスがもつ2本《ほん》の長《なが》い羽《はね》です。エメラルドグリーンにかがやくこれは、オスがメスにアピールするための「かざり羽《ばね》」。**この羽《はね》が長《なが》く美《うつく》しいほどメスからモテる**というわけです。

　しかし、よく考《かんが》えたら当《あ》たり前《まえ》なのですが、羽《はね》が長《なが》いほど**巣《す》からがっつりはみ出《だ》して敵《てき》に見《み》つかりやすくなります**。ねらったメスを見事《みごと》つかまえて子《こ》どもをつくっても、今度《こんど》はワシやタカからねらわれてしまうのです。

　まさに**「頭《あたま》かくしてケツかくさず」**のケツァールです。

プロフィール

鳥類《ちょうるい》

■**名前《なまえ》**　ケツァール
■**生息地《せいそくち》**　中央《ちゅうおう》アメリカの熱帯雲霧林《ねったいうんむりん》
■**大《おお》きさ**　全長《ぜんちょう》38㎝（かざり羽《ばね》はのぞく）
■**とくちょう**　くさった木《き》や切《き》り株《かぶ》を、くちばしでくり抜《ぬ》いて巣《す》をつくる

丸《まる》いマリモは成長《せいちょう》するとバラバラになる

ぼくらの体《からだ》が
くずれてゆく……

緑色《みどりいろ》のボールのようなマリモ。その正体《しょうたい》は、**1本《ぽん》の糸《いと》のように細《ほそ》い藻《も》**です。わたしたちがよく目《め》にする球体《きゅうたい》のマリモは、じつは無数《むすう》の糸状《いとじょう》のマリモが毛玉《けだま》のように集《あつ》まってできた集合体《しゅうごうたい》なのです。

このようにボールの形《かたち》になってたくさん生《は》えるのは、**北海道《ほっかいどう》の阿《あ》寒湖《かんこ》やアイスランドのミーバトン湖《こ》**など。おみやげで売《う》られるものは、人《ひと》が手《て》で丸《まる》めています。

マリモが野球《やきゅう》ボールくらいの大《おお》きさになるには、**150~200年《ねん》もかかる**とか。巨大《きょだい》になったマリモは、中《なか》にすきまができて、外《そと》側《がわ》がボロボロとくずれ落《お》ち、最後《さいご》は**元《もと》の糸《いと》くずにもどっていきます。**

プロフィール

植物《しょくぶつ》

- ■名前《なまえ**》 マリモ
- ■生息地《せいそくち》 北海道《ほっかいどう》から本州《ほんしゅう》の湖底《こてい》
- ■大《おお》きさ 直径《ちょっけい》20cm
- ■とくちょう 水《みず》の中《なか》の岩《いわ》などにくっついて生活《せいかつ》している

A 70ページの答《こた》え→ おしりをグリグリ

セイウチは温度《おんど》で体《からだ》の色《いろ》が変《か》わっちゃうほど敏感肌《びんかんはだ》

みんな同《おな》じセイウチです
暑《あつ》いとき
通常《つうじょう》
寒《さむ》いとき

セイウチは漢字《かんじ》で「海象《せいうち》」と書《か》くように、ゾウのように大《おお》きな体《からだ》と立派《りっぱ》な牙《きば》をもっています。最大《さいだい》で体長《たいちょう》4m、体重《たいじゅう》2t《トン》近《ちか》くと、**自《じ》動車《どうしゃ》くらいの大《おお》きさ**です。

そんな巨体《きょたい》の持《も》ち主《ぬし》ですが、じつは**温度《おんど》の違《ちが》いで体《からだ》の色《いろ》が変《か》わってしまう**ほど、敏感肌《びんかんはだ》なのです。

体《からだ》の色《いろ》が変《か》わるのは、流《なが》れる血《ち》の量《りょう》が変《か》わるから。かれらは血管《けっかん》の太《ふと》さを調節《ちょうせつ》でき、冷《つめ》たい海《うみ》に入《はい》るときは縮《ちぢ》めて熱《ねつ》が逃《に》げるのを防《ふせ》ぎ、日光浴《にっこうよく》をするときは逆《ぎゃく》に広《ひろ》げて熱《ねつ》を集《あつ》めやすくしているのです。

そのため、**冷《つめ》たい水《みず》に入《はい》ると青《あお》、太陽《たいよう》であたたまると赤《あか》**と、信号機《しんごうき》のように体《からだ》の色《いろ》が変《か》わります。

プロフィール

ほ乳類《にゅうるい》

- **名前《なまえ》**　セイウチ
- **生息地《せいそくち》**　北極海周辺《ほっきょくかいしゅうへん》の氷上《ひょうじょう》や海岸《かいがん》
- **大《おお》きさ**　体長《たいちょう》3m
- **とくちょう**　牙《きば》が大《おお》きいオスほどメスにモテる

フクロウは足《あし》が長《なが》いのに、短足《たんそく》だと思《おも》われている

ちょっと持《も》ち上《あ》げてみてくださいよ
きゃっ♡

知《ち》性《せい》と芸術《げいじゅつ》の女神《めがみ》・アテナの召《め》し使《つか》いで、「森《もり》の賢者《けんじゃ》」とよばれるフクロウ。**人間《にんげん》の１００倍《ばい》の感度《かんど》をもつ目《め》**で、夜《よる》でもえものの位置《いち》がわかります。かれらは闇《やみ》にまぎれてふわりと羽《は》ばたき、**音《おと》もなく近《ちか》づいてえものをさらう**のです。

フクロウが無音《むおん》で飛《と》べるのは、体《からだ》に対《たい》して翼《つばさ》が大《おお》きいのと、**足《あし》や指《ゆび》にまで羽毛《うもう》が生《は》えているおかげ**。この羽毛《うもう》のおかげで、少《すく》ない羽《は》ばたきでもスーッと空《そら》を飛《と》べます。

しかし、体全体《からだぜんたい》が羽毛《うもう》にかくれてしまった結果《けっか》、**めちゃくちゃ短《たん》足《そく》に見《み》える**はめに。足元《あしもと》の羽毛《うもう》をスカートのようにまくり上《あ》げると、長《なが》い美脚《びきゃく》があらわれます。

プロフィール

鳥類《ちょうるい》

- **名前《なまえ》** フクロウ
- **生息地《せいそくち》** 九州《きゅうしゅう》より北《きた》の森林《しんりん》
- **大《おお》きさ** 全長《ぜんちょう》50㎝
- **とくちょう** 耳《みみ》は左右《さゆう》でずれた位置《いち》についている

Q クジャクグモのオスはダンスがヘタだとメスに何《なに》をされる？ →答《こた》えは76ページ

カキの性別《せいべつ》は大《おお》きさ次第《しだい》

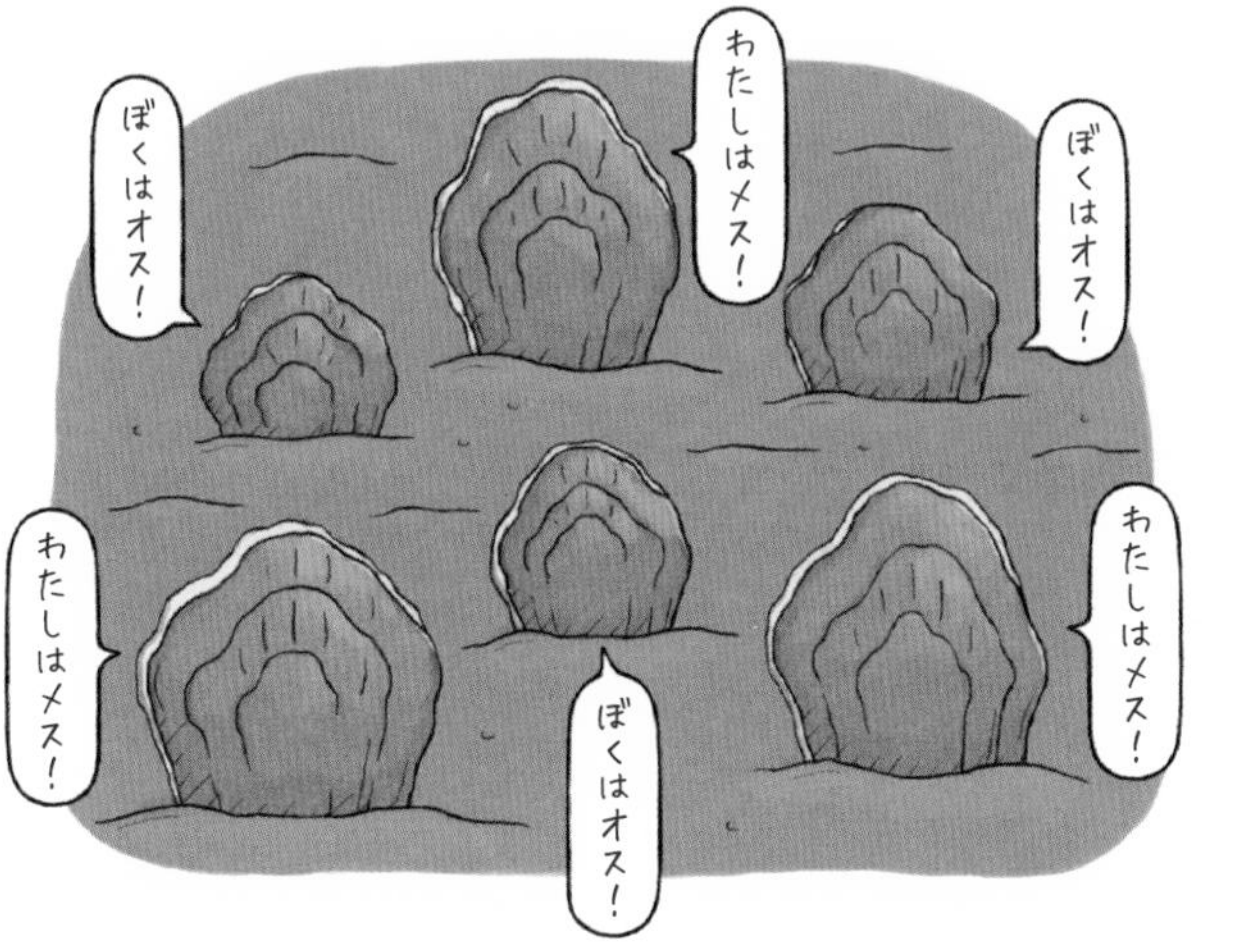

　フライや鍋料理《なべりょうり》などで食《た》べることも多《おお》いカキ。卵《たまご》からうまれると、1か月《げつ》ほど海《うみ》をただよったあと、岩《いわ》などにくっつきます。**このときはまだ性別《せいべつ》がありません。**その後《ご》、約《やく》1年《ねん》かけておとなになり、子《こ》づくりの季節《きせつ》になると**約《やく》7割《わり》がオスになります。**さらに、もう1年《ねん》してふたたび子《こ》づくりの季節《きせつ》になると、**ほとんどがメスに性転換《せいてんかん》するのだそう。**

　性転換《せいてんかん》するのは、体《からだ》が大《おお》きいほどたくさんの卵《たまご》がつくれるから。そのため体《からだ》が小《ちい》さいときはオス、大《おお》きくなったらメスになるのです。

　ちなみに子《こ》づくりを終《お》えると、性別自体《せいべつじたい》なくなるそうです。

プロフィール

二枚貝類《にまいがいるい》

- **名前《なまえ》**　マガキ
- **生息地《せいそくち》**　太平洋《たいへいよう》のアジア地域沿岸《ちいきえんがん》
- **大《おお》きさ**　殻《から》の直径《ちょっけい》10㎝
- **とくちょう**　栄養《えいよう》たっぷりで、「海《うみ》のミルク」ともよばれる

ウオノエは魚《さかな》の舌《した》になる

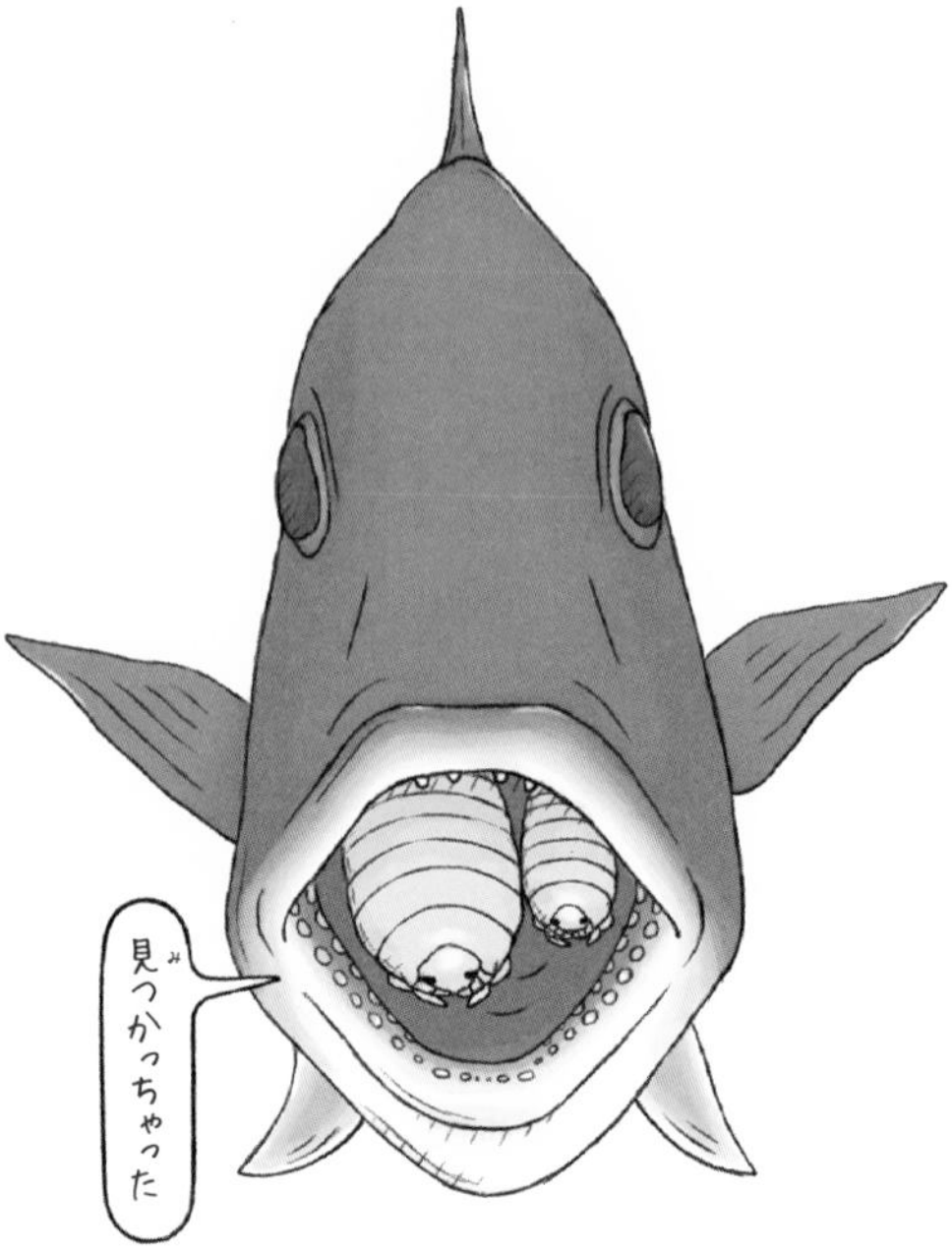

ある日突然《ひとつぜん》、**自分《じぶん》の舌《した》が別《べつ》の生《い》き物《もの》になっていたら……**。そんなホラーマンガのような出来事《できごと》が、魚《さかな》の世界《せかい》では起《お》きます。

犯人《はんにん》は、ウオノエ。いっけん白《しろ》いダンゴムシのように見《み》えるかれらは、魚《さかな》にとりつく寄生虫《きせいちゅう》です。エラのすきまから口《くち》の中《なか》にもぐりこむと、**魚《さかな》の舌《した》がなくなるまでチュウチュウと舌《した》の血《ち》を吸《す》います。**その後《ご》、舌《した》のつけ根《ね》に体《からだ》をしっかりとくっつけて、**魚《さかな》の体液《たいえき》や血液《けつえき》を吸《す》って大《おお》きくなる**のです。

そんな**ウオノエは食《た》べることができます**。エビみたいな味《あじ》でおいしいそうです。食《た》べても人間《にんげん》には寄生《きせい》しないので、ご安心《あんしん》ください。

プロフィール

甲殻類《こうかくるい》

- **名前《なまえ》** タイノエ
- **生息地《せいそくち》** 世界中《せかいじゅう》の深海《しんかい》
- **大《おお》きさ** 全長《ぜんちょう》1.8㎝
- **とくちょう** 若《わか》いものはオスとメス両方《りょうほう》のとくちょうをもつ

A 74ページの答《こた》え→ 食《た》べられる

コキンチョウのヒナの口《くち》はエイリアンみたい

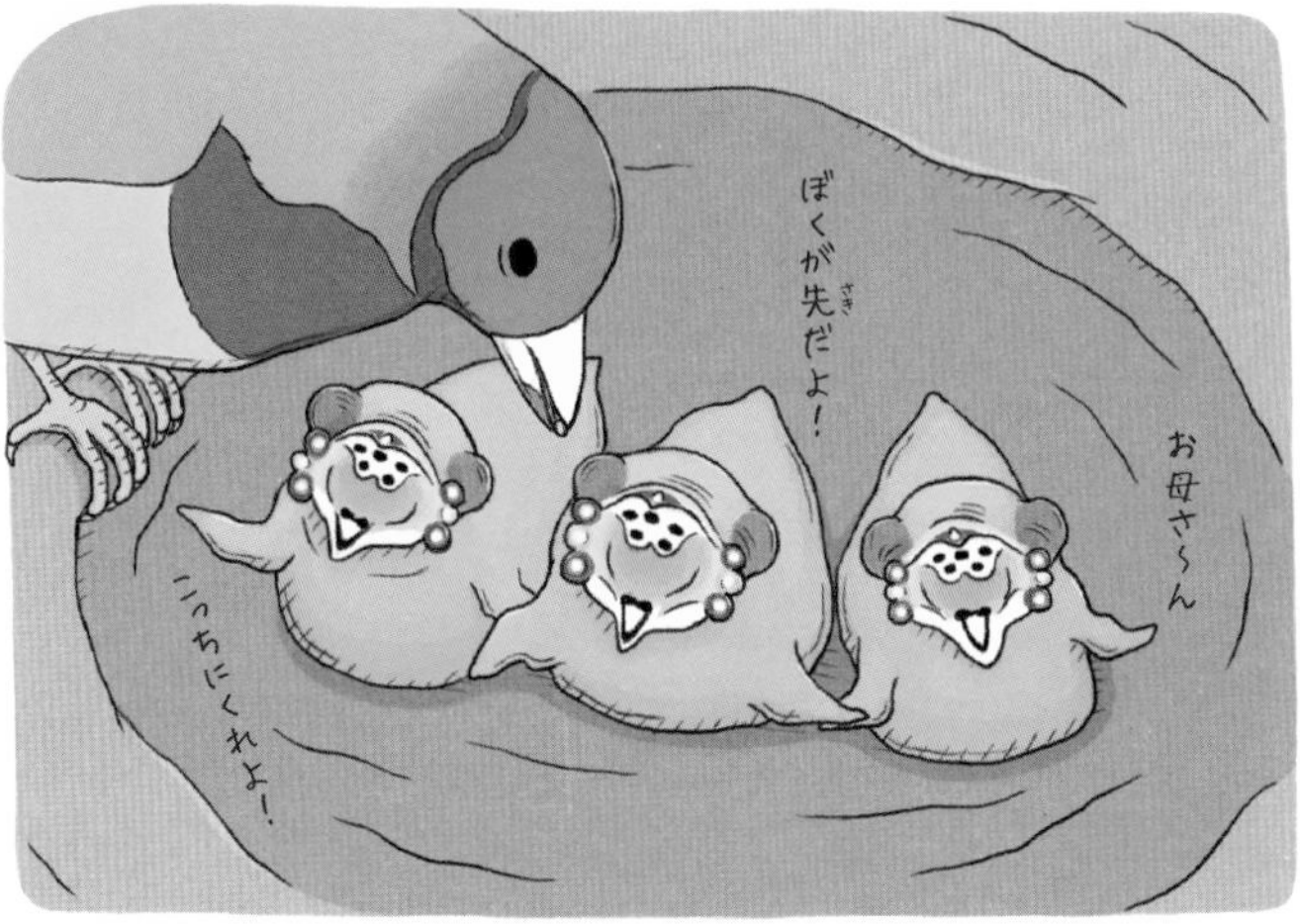

7色《いろ》の羽《はね》をもつコキンチョウ。しかしヒナの時期《じき》は茶一色《ちゃいっしょく》で、案外地味《あんがいじみ》。と思《おも》いきや、**口《くち》の中《なか》がド派手《はで》なカラーにしあがっています。**

コキンチョウのヒナの口《くち》の横《よこ》には「ダイヤ」とよばれる4つの青白《あおじろ》いビーズのようなものがついています。さらに口《くち》を開《あ》けると、中《なか》は白黒《しろくろ》のまだら模様《もよう》。しかも**4つのダイヤは暗闇《くらやみ》で光《ひか》る**ため、口《くち》を開《あ》けたヒナを正面《しょうめん》から見《み》ると、**4つ目《め》の小《ちい》さなエイリアンがこちらをにらんでいるように**見《み》えます。

ちなみにダイヤが光《ひか》るのは、親鳥《おやどり》が暗《くら》い場所《ばしょ》でもヒナの口《くち》を見《み》つけやすいようにするため。おとなになるとダイヤはなくなります。

プロフィール

鳥類《ちょうるい》

- ■**名前《なまえ》**　コキンチョウ
- ■**生息地《せいそくち》**　オーストラリア北部《ほくぶ》の草原《そうげん》や森林《しんりん》
- ■**大《おお》きさ**　全長《ぜんちょう》13㎝
- ■**とくちょう**　頭《あたま》の色《いろ》は赤《あか》・黒《くろ》・黄色《きいろ》の3種類《しゅるい》がいる

ざんねん度《ど》

ゴールデンターキンの体《からだ》はベトベトでくさい

ジャイアントパンダ、キンシコウとともに**「中国《ちゅうごく》の三大珍獣《さんだいちんじゅう》」**に数《かぞ》えられるターキン。ウシのなかまで、見《み》た目《め》はそれほど変《か》わっているように見《み》えませんが、かれらの個性《こせい》は近《ちか》づけばすぐにわかります。**ものすごくくさい**のです。

ターキンのメスは、体中《からだじゅう》にある「臭腺《しゅうせん》」という小《ちい》さな穴《あな》からベトベトしたくさい油《あぶら》を出《だ》しています。そのため、せっかくの金色《きんいろ》の**毛《け》が茶色《ちゃいろ》くべたついている**のです。

しかし、この油《あぶら》のおかげで雨《あめ》が降《ふ》っても水《みず》をはじいて、体温《たいおん》をうばわれずにすむのだとか。そう考《かんが》えるとすごいのですが、**動物園《どうぶつえん》で近《ちか》づくときは覚悟《かくご》してください。**

プロフィール

ほ乳類《にゅうるい》

■**名前《なまえ》**　ゴールデンターキン

■**生息地《せいそくち》**　中国南西部《ちゅうごくなんせいぶ》の山岳地帯《さんがくちたい》の森林《しんりん》

■**大《おお》きさ**　体長《たいちょう》1.7m

■**とくちょう**　ふだんはおとなしいが、危険《きけん》を感《かん》じると急《きゅう》な岩場《いわば》も上《のぼ》る

→答《こた》えは80ページ

コモリウオは パパのおでこで子育《こそだ》てをする

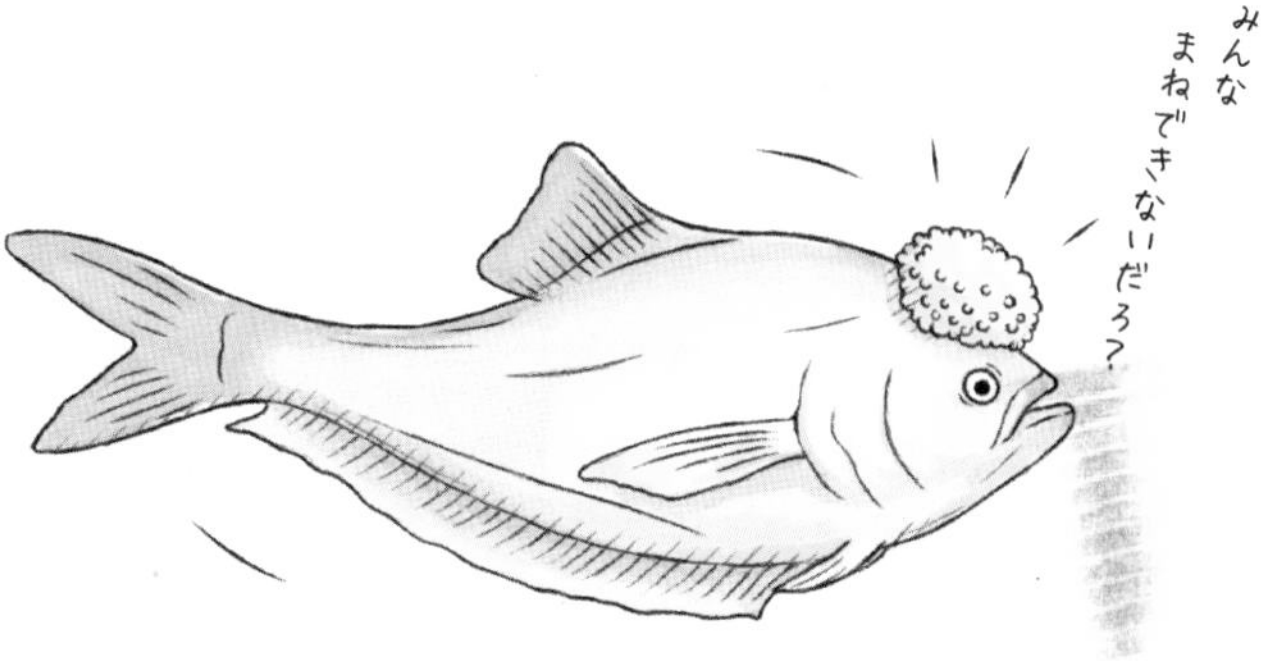
みんな
まねできないだろ?

　最近《さいきん》は「イクメン」など、父親《ちちおや》が積極的《せっきょくてき》に子育《こそだ》てをすることも当《あ》たり前《まえ》になりましたが、コモリウオのパパにはかなわないでしょう。
　コモリウオのオスは、**おでこから小《ち》さなフックが飛《と》び出《だ》しています**。何《なん》のためのものかクイズにもなりそうですが、正解《せいかい》は**メスがうんだ卵《たまご》のかたまりをひっかける**のです。**卵《たまご》がほかの魚《さかな》や虫《むし》に食《た》べられないように**、父親《ちちおや》はおでこに卵《たまご》のかたまりをぶら下《さ》げて、ふ化《か》するまで休《やす》まず見守《みまも》り続《つづ》けます。
　とてもまじめですてきなパパですが、遠目《とおめ》から見《み》ると、**アフロヘアみたいでファンキーな感《かん》じ**がいなめません。

プロフィール

■名前《なまえ》　コモリウオ
■生息地《せいそくち》　オーストラリア北部《ほくぶ》やニューギニア南部《なんぶ》の河口《かこう》
■大《おお》きさ　全長《ぜんちょう》60㎝
■とくちょう　にごった泥水《どろみず》のような場所《ばしょ》にくらす

硬骨魚類《こうこつぎょるい》

オキナワベニハゼはあきらめが早《はや》すぎる

もうオスじゃいられないな……

ライオンもゴリラもオットセイも、むれの中《なか》でいちばん強《つよ》い男《おとこ》を目《め》指《ざ》して命《いのち》がけで戦《たたか》います。**戦《たたか》いに勝《か》ったオスだけが自分《じぶん》の子《こ》どもを残《のこ》せることがほとんど**だからです。

ところが、オキナワベニハゼのオスは、まったく違《ちが》う方法《ほうほう》で自分《じぶん》の子《こ》どもを残《のこ》すことにしました。それは、自分《じぶん》よりも大《おお》きなオスを見《み》つけたら、**「もう無理《むり》」とすぐにあきらめてメスになる**ことです。その間《かん》、わずか5日《いっか》という早業《はやわざ》。

こうして、むれの中《なか》でいちばん大《おお》きなオスのまわりには、たくさんの**元《もと》オスだったメスが集《あつ》まり、それぞれが自分《じぶん》の子《こ》どもをうむ**のです。

プロフィール

- **名前《なまえ》** オキナワベニハゼ
- **生息地《せいそくち》** 西太平洋《にしたいへいよう》の海《うみ》
- **大《おお》きさ** 全長《ぜんちょう》2.5cm
- **とくちょう** ふだんはサンゴのかげで、おなかを上《うえ》にした状態《じょうたい》でいる

硬骨魚類《こうこつぎょるい》

A 78ページの答《こた》え→ 白《しろ》

ゾウカブトはびっくりするほどすぐハゲる

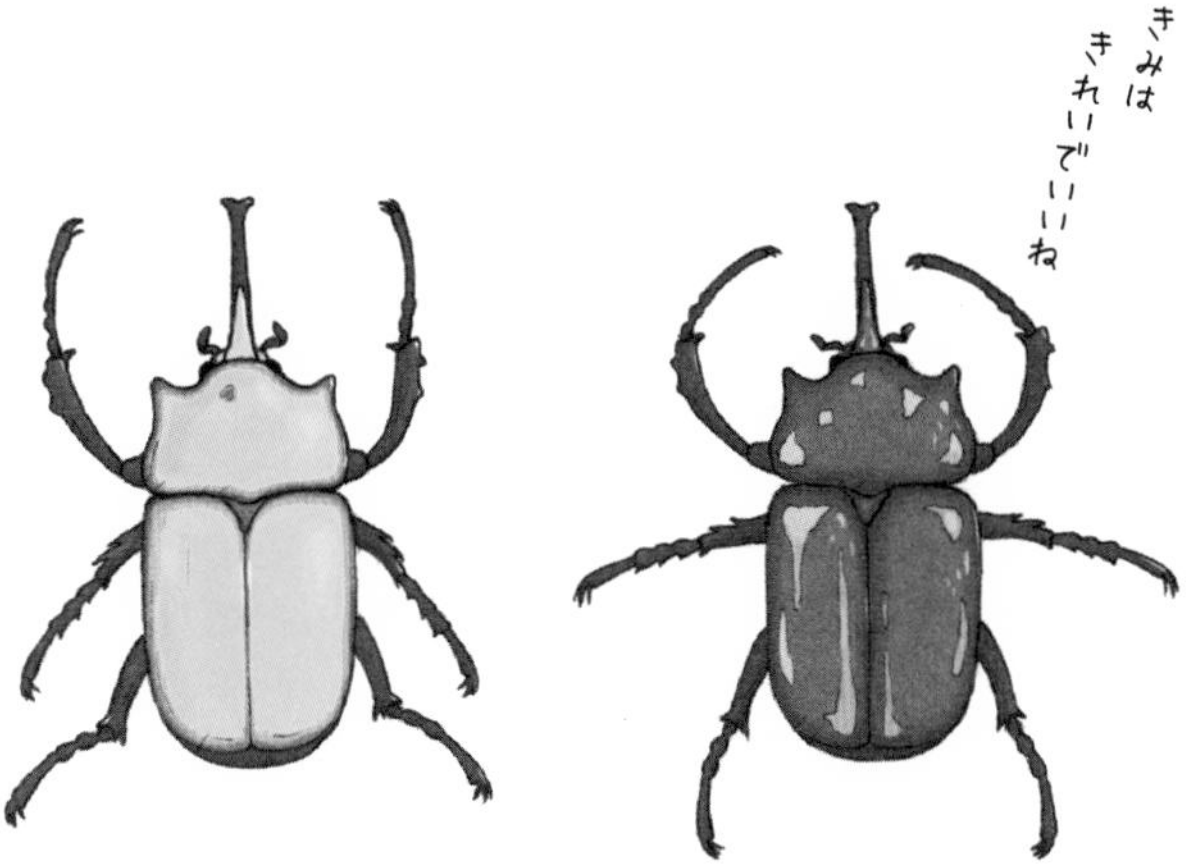

ゾウカブトは、中南米《ちゅうなんべい》に生息《せいそく》する巨大《きょだい》なカブトムシ。なかでもエレファスゾウカブトは、最大《さいだい》で全《ぜん》長《ちょう》13㎝と、**おとなの手《て》のひらからはみ出《だ》すほど大《おお》きくなります。**

その**全身《ぜんしん》には金色《きんいろ》の毛《け》がびっしり**と生《は》えていて、金色《きんいろ》に輝《かがや》く姿《すがた》は、まさに「カブトムシの王者《おうじゃ》」とよぶにふさわしいもの。ただ、**わりとかんたんにハゲます。**時間《じかん》がたったり、こすれたりして、どんどん毛《け》が抜《ぬ》けてしまうのです。

ただし人間《にんげん》とは異《こと》なり、ゾウカブトは黒《くろ》い外骨格《がいこっかく》の上《うえ》に金《きん》の毛《け》が生《は》えているため、**ハゲるほど黒《くろ》さを増《ま》していきます。**おじさんから見《み》たら、うらやましいでしょう。

プロフィール

昆虫類《こんちゅうるい》

■**名前《なまえ》**　エレファスゾウカブト
■**生息地《せいそくち》**　中南米《ちゅうなんべい》の森林《しんりん》
■**大《おお》きさ**　全長《ぜんちょう》9㎝
■**とくちょう**　幼虫《ようちゅう》の体重《たいじゅう》はカブトムシのなかでトップクラス

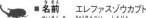

クローバーはどれも一《ひと》つ葉《ば》

三《み》っ葉《ば》
四《よ》っ葉《ば》
五《いつ》っ葉《ば》……
ヒトはそう呼《よ》ぶけれど
みんな一《ひと》っ葉《ば》
みんないっしょ

見《み》つけた人《ひと》にしあわせをもたらすとされる四《よ》つ葉《ば》のクローバー。ところが、生物学的《せいぶつがくてき》には三《み》つ葉《ば》でも四《よ》つ葉《ば》でも、**同《おな》じ1枚《まい》の葉《は》にすぎません**。葉《は》に見《み》えるのは「小《しょう》葉《よう》」といって、1枚《まい》の大《おお》きな葉《は》が分《わ》かれているだけなのです。

ちなみに小葉《しょうよう》が4つあるクローバーがうまれる理由《りゆう》は、**小《ちい》さいときに事故《じこ》にあったから**。葉《は》が育《そだ》つ前《まえ》に、踏《ふ》まれたりボールに当《あ》たったりして傷《きず》がつくと、3つに分《わ》かれるはずが4つに分《わ》かれてしまい、四《よ》つ葉《ば》のクローバーになります。**ギネス記録《きろく》には56つ葉《ば》がありますが**、いったい過去《かこ》に何《なに》があったのか心配《しんぱい》でなりません。

プロフィール

植物《しょくぶつ》

■**名前《なまえ》**　シロツメクサ
■**生息地《せいそくち》**　日本全国《にほんぜんこく》の草原《そうげん》など
■**大《おお》きさ**　高《たか》さ15cm
■**とくちょう**　マメ科《か》の植物《しょくぶつ》なので、花《はな》のあとには豆《まめ》ができる

ニッポニテスの殻《から》は まるでまきぐそ

ぼく、もう
この世《よ》にはいないんだ

　ニッポニテスは、9000万年《まんねん》前《まえ》ごろの白亜紀《はくあき》に生《い》きていたアンモナイトのなかまです。アンモナイトは、美《うつく》しくうずを巻《ま》いた殻《から》がとくちょうですが、ニッポニテスの殻《から》は、**ぐにゃぐにゃと曲《ま》がってこんがらがっています。**

　このような形《かたち》になった**理由《りゆう》は、目立《めだ》ちたくなかったから。**かれらは、あるていど殻《から》が成長《せいちょう》すると、それ以上外側《いじょうそとがわ》に大《おお》きくならないよう、殻《から》がのびる方向《ほうこう》を左右《さゆう》に折《お》り曲《ま》げて、なるべく小《ちい》さく見《み》えるようにしていたと考《かんが》えられています。

　しかしその結果《けっか》、現代《げんだい》では**「うんこみたいな化石《かせき》」として目立《めだ》つ**ことになってしまいました。

プロフィール

頭足類《とうそくるい》

- **名前《なまえ》**　ニッポニテス（絶滅種《ぜつめつしゅ》）
- **生息地《せいそくち》**　日本列島《にほんれっとう》からカムチャツカ半島《はんとう》などの浅《あさ》い海《うみ》
- **大《おお》きさ**　殻《から》の直径《ちょっけい》2㎝
- **とくちょう**　海中《かいちゅう》を浮遊《ふゆう》する生活《せいかつ》をしていた

ざんねんなかけっこくらべ

生《い》き物《もの》は、さまざまな理由《りゆう》で走《はし》ります。

ほかの生《い》き物《もの》を食《た》べるためだったり、ほかの生《い》き物《もの》から逃《に》げるためだったり……足《あし》の速《はや》さも、速《はや》かったりおそかったりとさまざま。

その走《はし》りを、くらべてみましょう！

はんしょく以外《いがい》はまず地上《ちじょう》におりないよー
ないしょにしてたけど走《はし》るの苦手《にがて》です
だけど飛《と》べればもっと速《はや》いよね……
水中《すいちゅう》では速《はや》いんですよ……いや、ホントですよ……
56

ハリオアマツバメ
水平飛行《すいへいひこう》では、いちばん速《はや》い鳥《とり》。時速《じそく》170㎞もあります

ダチョウ
鳥《とり》のなかでいちばん速《はや》く走《はし》ることができ、時《じ》速《そく》70㎞ほど出《で》ます

ティラノサウルス
体《からだ》は大《おお》きいが、足《あし》の速《はや》さは時速《じそく》27㎞ていどと、人間《にんげん》よりもおそかったよう

コウテイペンギン
水中《すいちゅう》では時速《じそく》30㎞以上《いじょう》出《だ》せますが、地上《ちじょう》では時《じ》速《そく》2㎞とゆっくりです

え?! ぼく
人間《にんげん》が歩《ある》く速《はや》さと
同《おな》じなの?!
スーパーサウルス
体《からだ》は大《おお》きいが、重《おも》すぎて、ゆっくりとしか動《うご》けませんでした
でも500mしか
走《はし》れない……
チーター
時速《じそく》110kmで走《はし》れる地《ち》上《じょう》でいちばん足《あし》の速《はや》い生《い》き物《もの》です
カタツムリ
ゆっくりとしか進《すす》むことができません
50m走《そう》の
タイムは
1時間《じかん》です
速《はや》さがなんだって
いうんだ!
ガラパゴスゾウガメ
体《からだ》が重《おも》いため、動《うご》きがおそく、人間《にんげん》がゆっくり歩《ある》くていどの速《はや》さしか出《だ》せません

進化《しんか》の東西南北《とうざいなんぼく》

2 クマのなかまの食《た》べ物《もの》

よっ、ホッキョクグマさ。
オレらは北極圏《ほっきょくけん》の寒《さむ》い地域《ちいき》にすみついたから、
海《うみ》に浮《う》かぶ氷《こおり》の上《うえ》で、アザラシを狩《か》って食《た》べるのさ！
でも、氷《こおり》がない夏《なつ》の時季《じき》は狩《か》りができないから、
ほとんど何《なに》も食《た》べなくても数《すう》か月《げつ》は生《い》きられるんだぜ。

ツキノワグマでーす。
ぼくらはゆたかな森《もり》にくらしているから、
食《た》べ物《もの》はほとんど木《き》の実《み》だよ！
昆虫《こんちゅう》もたくさんいるから
カブトムシとかもたまに食《た》べるけどね。

ツキノワグマ
木いちご
昆虫
ドングリ
森《もり》で手《て》に入《はい》る木《き》の実《み》や
昆虫《こんちゅう》を食《た》べるよ
アザラシをワイルドに
食《た》べるぜ！
ホッキョクグマ

どうも、パンダです。

ぼくらの祖先《そせん》は、ほかのクマのなかまと同《おな》じように平地《へいち》で木《き》の実《み》や小動物《しょうどうぶつ》を食《た》べていました。

でも、ほかのクマと食《た》べ物《もの》をあらそわないですむ場所《ばしょ》に移住《いじゅう》したら……ササしか食《た》べるものがなかったとです。

栄養《えいよう》の少《すく》ないササ
ばっかり食《た》べます

パンダ

クマのなかまは
いろいろな環境《かんきょう》に適応《てきおう》し
世界中《せかいじゅう》にいます
肉こそすべて
それぞれの場所《ばしょ》で
食《た》べ物《もの》を得《え》ているが
本来《ほんらい》の肉食獣《にくしょくじゅう》としての
食生活《しょくせいかつ》を守《まも》るのは
ホッキョクグマ
ほかのクマも
雑食《ざっしょく》として木《き》の実《み》や
生《い》き物《もの》などを
食《た》べている
んま～い
しかしパンダは――
そもそも
ササしか食べるもの
ありません
ササは消化《しょうか》に
悪《わる》いんだよね……

ねん

第《だい》4章《しょう》

生《い》き方《かた》がざん

いろんな生《い》き方《かた》がありますが、
「そんな大変《たいへん》そうな道《みち》を選《えら》ばなくても」と
しみじみ感《かん》じてしまう生《い》き物《もの》たちもいるのです。

パラパラ劇場《げきじょう》

カンガルーの親子《おやこ》が
なかよくお散歩《さんぽ》をしています

アデリーペンギンは石《いし》にふりまわされる

おじょうさん
この石《いし》をどうぞ
よし
いまのうちに
盗《ぬす》んじゃえ

この石《いし》は
ぼくのもんだ

人間《にんげん》の男性《だんせい》が女性《じょせい》にプロポーズをするときは、ダイヤの指輪《ゆびわ》をわたすことが多《おお》いとされますが、アデリーペンギンのオスは**そこらへんに落《お》ちている石《いし》をわたします。**「石《いし》ころなんて愛《あい》が感《かん》じられない！」と思《おも》うかもしれませんが、かれらにとって、石《いし》はダイヤモンド以上《いじょう》に大切《たいせつ》なものなのです。

アデリーペンギンは南極《なんきょく》では初《しょ》夏《か》の10月《がつ》になるといっせいに集《あつ》まり、**小石《こいし》を高《たか》く積《つ》み上《あ》げて、卵《たまご》をうむための巣《す》をつくります。**このとき、積《つ》んだ小石《こいし》が少《すく》ないと、巣《す》の卵《たまご》が地面《じめん》を流《なが》れる雪《ゆき》どけ水《みず》にひたって死《し》んでしまうのです。

そのため**親《おや》ペンギンによる石《いし》の盗《ぬす》み合《あ》い**もめずらしくありません。

プロフィール

鳥類《ちょうるい》

- **名前《なまえ》**　アデリーペンギン
- **生息地《せいそくち》**　南極《なんきょく》とその周辺《しゅうへん》
- **大《おお》きさ**　全長《ぜんちょう》75㎝
- **とくちょう**　ヒナや卵《たまご》はオオトウゾクカモメなどの鳥《とり》によくねらわれる

オオトウゾクカモメは罪深《つみぶか》い

罪《つみ》を背負《せお》いながら
オレは生きてゆく……

オオトウゾクカモメは、10月《がつ》ごろになると南極《なんきょく》にやってきて、ペンギンたちの巣《す》がよく見《み》える岩場《いわば》に巣《す》をつくります。そして、犯人《はんにん》を張《は》りこむ刑事《けいじ》のようにペンギンたちをじっと観察《かんさつ》するのですが、やることはむしろ犯人側《はんにんがわ》。**親《おや》ペンギンが巣《す》からはなれたすきに卵《たまご》やヒナをうばう**のです。

さらに、ほかのカモメやウミガラスが魚《さかな》をつかまえると、くちばしでつついて攻撃《こうげき》。たまらず**手放《てばな》した魚《さかな》を横取《よこど》りして食《た》べる**こともしばしばというから極悪《ごくあく》です。

その名《な》のとおり、かれらは**「鳥《とり》界《かい》の大盗賊《おおとうぞく》」の名《な》を背負《せお》って**過酷《かこく》な自然界《しぜんかい》を今日《きょう》も生《い》きています。

プロフィール

鳥類《ちょうるい》

- **名前《なまえ》** オオトウゾクカモメ
- **生息地《せいそくち》** 世界中《せかいじゅう》の海洋《かいよう》
- **大《おお》きさ** 全長《ぜんちょう》59㎝
- **とくちょう** 人間《にんげん》が近《ちか》づくと、頭《あたま》をつついたりして攻撃《こうげき》する

Q リカオンは狩《か》りに行《い》くかどうか、何《なに》で決《き》める？

→答《こた》えは94ページ

ステゴサウルスはうんこをひろい食《ぐ》いしていた

ステゴサウルスは、全長《ぜんちょう》が9mもあるのに、頭骨《とうこつ》の長《なが》さは40㎝ほどしかありません。これは身長《しんちょう》150㎝の子《こ》どもなら**頭《あたま》の大《おお》きさが6〜7㎝しかないのと同《おな》じ**です。

そのせいか、かれらはかむ力《ちから》がとても弱《よわ》く、やわらかいシダ植物《しょくぶつ》しか食《た》べられなかったそうです。

しかし最近《さいきん》になり、化石《かせき》の歯《は》がどれもきれいなままであることから、もっとやわらかい食《た》べ物《もの》、つまり**ほかの恐竜《きょうりゅう》のうんこを食《た》べていたのではないか**という説《せつ》も出《で》てきています。

あの巨体《きょたい》がうんこのエネルギーで動《うご》いていたかと思《おも》うと、うんことエコの可能性《かのうせい》に未来《みらい》を感《かん》じます。

プロフィール

は虫類《ちゅうるい》

■**名前《なまえ》**　ステゴサウルス（絶滅種《ぜつめつしゅ》）
■**生息地《せいそくち》**　北《きた》アメリカ、ヨーロッパ
■**大《おお》きさ**　全長《ぜんちょう》9m
■**とくちょう**　尾《お》の先《さき》にある4本《ほん》のとげで身《み》を守《まも》っていたとされる

キリンの赤《あか》ちゃんには、うまれてすぐにいろんな試練《しれん》が待《ま》っている

ふつう、動物《どうぶつ》の赤《あか》ちゃんは親《おや》によって大切《たいせつ》に守《まも》られます。しかし、キリンの赤《あか》ちゃんはうまれた瞬間《しゅんかん》から超《ちょう》ハードモード。

まず、**母親《ははおや》のおなかからうまれた瞬間《しゅんかん》に地面《じめん》にたたきつけられます**。キリンは立《た》ったまま出産《しゅっさん》するため、おのずと2mの高《たか》さから放《ほう》り出《だ》されることになるのです。

さらに、**うまれて30分《ぷん》くらいで立《た》ち上《あ》がらなければなりません**。そうしないと、ライオンやハイエナなどの肉食動物《にくしょくどうぶつ》に食《た》べられてしまいます。肉食動物《にくしょくどうぶつ》が多《おお》くいる地域《ちいき》でのキリンの赤《あか》ちゃんの死亡率《しぼうりつ》は50%以上《いじょう》。**約《やく》2頭《とう》に1頭《とう》しか生《い》き残《のこ》れない過酷《かこく》な運命《うんめい》**なのです。

プロフィール

ほ乳類《にゅうるい》

- **名前《なまえ》** アミメキリン
- **生息地《せいそくち》** サハラ砂漠《さばく》より南《みなみ》のサバンナ
- **大《おお》きさ** 体長《たいちょう》5.9m
- **とくちょう** 1日《にち》のうち18時間《じかん》もの時間《じかん》を食事《しょくじ》に費《つい》やすこともある

A 92ページの答《こた》え→ くしゃみの回数《かいすう》

ダンゴウオの行《い》き先《さき》は波《なみ》まかせ

　ダンゴウオは、その名《な》のとおり体《からだ》がおだんごのように丸々《まるまる》としたキュートな魚《さかな》。**おとなでも2〜3㎝ほどにしかならず**、まるで、4つ重《かさ》なると消《き》えてしまうパズルゲームのキャラクターみたいです。

　そのため、ちょっとした波《なみ》でも、**風《かぜ》に飛《と》ばされるビニール袋《ぶくろ》のように流《なが》されてしまいます**。これではゆっくりごはんも食《た》べられません。

　しかし、ご安心《あんしん》を。かれらの**おなかには大《おお》きな吸盤《きゅうばん》がついていて、**岩《いわ》や海藻《かいそう》に体《からだ》をくっつけて固定《こてい》できるのです。まれに**親《おや》の上《うえ》にくっつく子《こ》どももいますが**、4つ重《かさ》なると消《き》えてしまいそうで少《すこ》しドキドキします。

プロフィール

硬骨魚類《こうこつぎょるい》

■**名前《なまえ》**	ダンゴウオ	■**大《おお》きさ**	全長《ぜんちょう》3㎝
■**生息地《せいそくち》**	本州《ほんしゅう》から九州北部《きゅうしゅうほくぶ》などの岸《きし》近《ちか》くの海《うみ》	■**とくちょう**	死《し》んだフジツボなどを巣穴《すあな》にして産卵《さんらん》し、卵《たまご》はオスが守《まも》る

カンガルーの誕生日《たんじょうび》はてきとう

動物園《どうぶつえん》に行《い》くと、解説《かいせつ》パネルに誕生日《たんじょうび》が書《か》かれていることがあります。ただし、カンガルーの場合《ばあい》はうまれた日《ひ》ではなく、**「お母《かあ》さんのおなかの袋《ふくろ》から顔《かお》を出《だ》した日《ひ》」を誕生日《たんじょうび》**としているようです。

その理由《りゆう》は、**いつうまれたのかよくわからないから。**カンガルーの赤《あか》ちゃんの大《おお》きさは、わずか2cm。しかも、うまれるとすぐにお母《かあ》さんのおなかを上《のぼ》り始《はじ》め、**わずか10秒《びょう》ほどでおなかの袋《ふくろ》の中《なか》にかくれてしまう**のです。

その後《ご》、赤《あか》ちゃんは袋《ふくろ》の中《なか》でお乳《ちち》を飲《の》んで育《そだ》ち、約半年後《やくはんとしご》に袋《ふくろ》からひょっこり顔《かお》を出《だ》したら、その日《ひ》が記念日《きねんび》になります。

プロフィール

ほ乳類《にゅうるい》

- **名前《なまえ》** クロカンガルー
- **生息地《せいそくち》** オーストラリアの平原《へいげん》
- **大《おお》きさ** 体長《たいちょう》1.1m
- **とくちょう** おとなのオスからはカレーのような独特《どくとく》なにおいがする

Q オオミヤシの実《み》は何《なに》にそっくり？ →答《こた》えは98ページ

イシガキリュウグウウミウシはなかまを食《た》べちゃう

　ウミウシは巻貝《まきがい》のなかまですが、貝殻《かいがら》をもたないものがほとんどです。つまり、**貝《かい》の中身《なかみ》が出《で》ちゃったやつ**。その中身《なかみ》はカラフルで、黄色《きいろ》だったりピンクだったり、3000種《しゅ》も確認《かくにん》されています。
　そんな個性《こせい》ゆたかなウミウシのなかでも、とくに強気《つよき》なのがイシガキリュウグウウミウシ。かれらは「友達《ともだち》を食《た》べてみた」ぐらいの軽《かる》いノリで、なかまを丸《まる》のみにしてしまいます。**同《おな》じウミウシのなかまをようしゃなくおそって大《おお》きくなる**のです。
　ちなみに、ウミウシは**おそろしくまずい**そうなので、人間《にんげん》が食《た》べるのはおすすめしません。

プロフィール

腹足類《ふくそくるい》

- ■**名前《なまえ》**　イシガキリュウグウウミウシ
- ■**生息地《せいそくち》**　太平洋西部《たいへいようせいぶ》からインド洋《よう》の海《うみ》
- ■**大《おお》きさ**　体長《たいちょう》13㎝
- ■**とくちょう**　1匹《ぴき》でオスとメス両方《りょうほう》の機能《きのう》をもっている

カナダカワウソは超《ちょう》スパルタ教育《きょういく》

カナダカワウソは水辺《みずべ》にすみ、魚《さかな》やカエルなどをとって食《た》べます。かれらにとって、**うまく泳《およ》げるかどうかは生死《せいし》にかかわる大問題《だいもんだい》**。そのため、カワウソの母親《ははおや》は、子《こ》どもにスパルタで泳《およ》ぎを教《おし》えます。

生後《せいご》2か月《げつ》ほどで、母親《ははおや》は子《こ》どもの首根《くびね》っこをくわえて水辺《みずべ》に連《つ》れていきます。そして、**ためらいもなく水《みず》につき落《お》とす**のです。子《こ》どもはあわてて出《で》ようとしますが、**頭《あたま》を踏《ふ》んづけてさらに水《みず》にしずめる**徹底《てってい》ぶり。熱湯風呂《ねっとうぶろ》に入《はい》る芸人《げいにん》でも、ここまではされません。

しかし、そこはカワウソ。数分《すうふん》もすれば、スイスイと自分《じぶん》の力《ちから》で泳《およ》げるようになります。

プロフィール

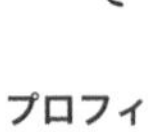

ほ乳類《にゅうるい》

■**名前《なまえ》**　カナダカワウソ

■**生息地《せいそくち》**　北《きた》アメリカの川《かわ》、湖《みずうみ》、湿地《しっち》など

■**大《おお》きさ**　体長《たいちょう》80cm

■**とくちょう**　体毛《たいもう》が水《みず》をはじくので、体《からだ》がぬれず体温《たいおん》を保《たも》てる

コブハサミムシは超過保護《ちょうかほご》

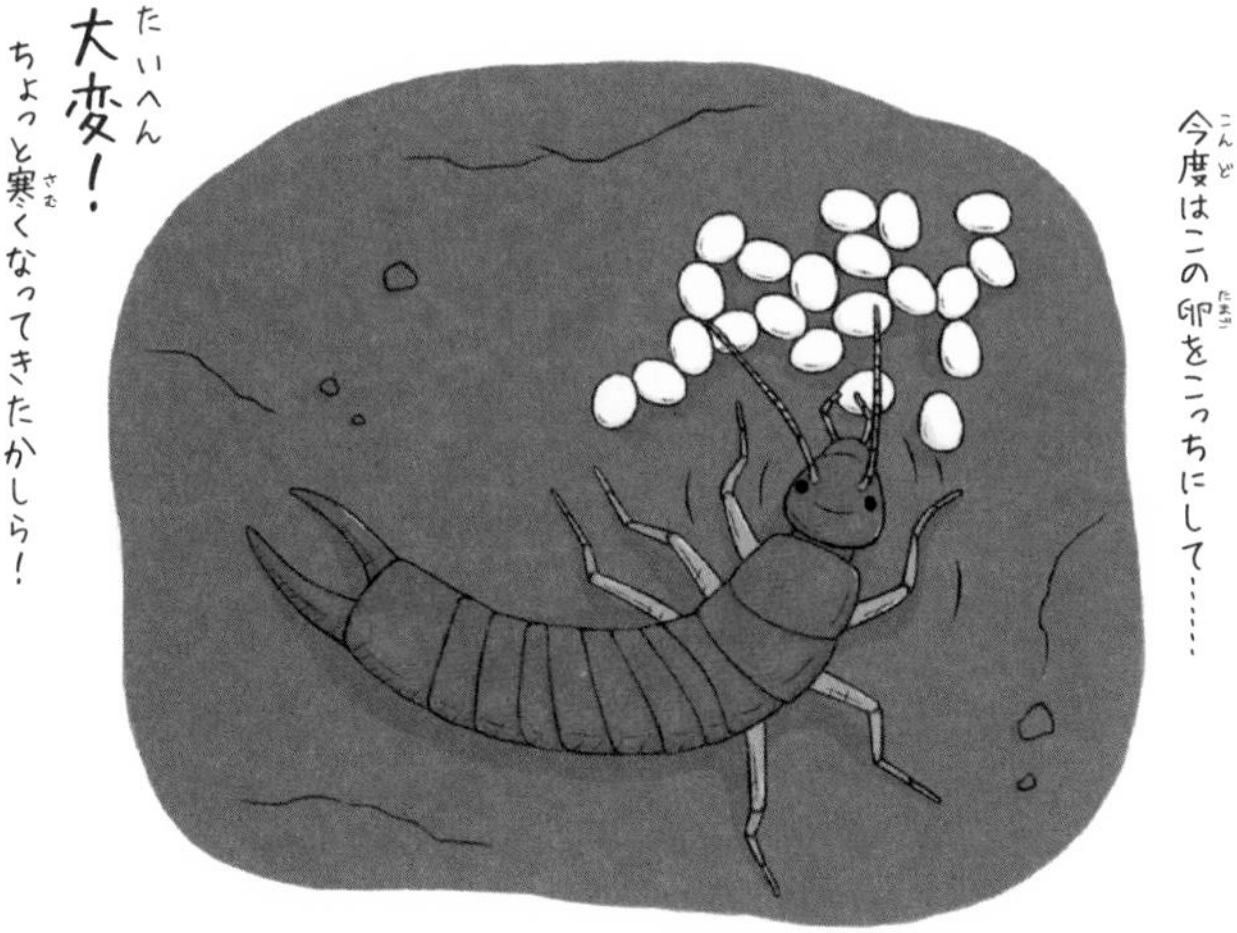
今度《こんど》はこの卵《たまご》をこっちにして……
大変《たいへん》！
ちょっと寒《さむ》くなってきたかしら！

敵《てき》が近《ちか》づくと、サソリのようにおしりを上《あ》げて、大《おお》きなハサミで攻撃《こうげき》するコブハサミムシ。こわそうなイメージですが、じつは**子《こ》どもにはとってもやさしい**のです。

コブハサミムシの母親《ははおや》は卵《たまご》をうむと、ひっきりなしになめたり、転《ころ》がしたりします。こうしないと、**すぐに卵《たまご》にカビが生《は》えて死《し》んでしまうから**です。さらに、暑《あつ》いときはすきまをつくって風通《かぜとお》しをよくしたり、寒《さむ》いときは卵《たまご》を積《つ》み重《かさ》ねて熱《ねつ》が逃《に》げないようにしたりと、温度管理《おんどかんり》も完璧《かんぺき》です。

こうしてようやく卵《たまご》から子《こ》どもたちがうまれると、**最後《さいご》に母親《ははおや》は自分《じぶん》の体《からだ》を食《た》べさせて死《し》にます。**

プロフィール

昆虫類《こんちゅうるい》

- **名前《なまえ》**　コブハサミムシ
- **生息地《せいそくち》**　北海道《ほっかいどう》から九州《きゅうしゅう》の森林《しんりん》など
- **大《おお》きさ**　体長《たいちょう》1.6㎝
- **とくちょう**　オスのハサミは左右《さゆう》の形《かたち》が違《ちが》う

アヌビスヒヒのオスはむれに入《はい》るため、子《こ》どもに取《と》り入《い》る

まあ
いいでしょう
そろそろ
みとめてあげたら？
ありがとうございます！

アヌビスヒヒは、たくさんのオスとメス、そしてその子《こ》どもたちで数十頭《すうじっとう》のむれをつくります。

メスは、うまれたむれでずっとくらしますが、**オスはおとなになると、ほかのむれに移《うつ》ります。**そこで、同《おな》じようにほかのむれからきたオスたちと戦《たたか》って、勝《か》ったものがボスになれるのです。

では、負《ま》けたオスはというと、**必死《ひっし》に子《こ》どものゴキゲンをとり始《はじ》めます。**むれの子《こ》どもの毛《け》づくろいをしたり、ボディーガードをしたりするのです。そして、子《こ》どもから**「きみ、なかなかやるね」**と気《き》に入《い》られれば、メスのおゆるしが出《で》て、やっとむれに入《はい》れます。

プロフィール

ほ乳類《にゅうるい》

■**名前《なまえ》**　アヌビスヒヒ（サバンナヒヒの亜種《あしゅ》）
■**生息地《せいそくち》**　アフリカのサバンナ
■**大《おお》きさ**　体長《たいちょう》73㎝（オス）
■**とくちょう**　オスはするどい歯《は》で敵《てき》を追《お》いはらうこともある

→答《こた》えは102ページ

郵 便 は が き

料金受取人払郵便

小石川局承認

5774

差出有効期間
2020年5月20日まで
（切手不要）

112-8790

069

東京都文京区音羽1-26-1
株式会社高橋書店
編集部 ⑮ 行

※このはがきにご記入いただいた個人情報ならびにご意見は、弊社で責任をもって管理したうえで、弊社出版物の企画等の参考にさせていただきます。その他の目的では一切使用しません。なお、以下の項目は任意でご記入ください。

お名前	年齢： 歳 性別： 男 ・ 女
ご住所 〒 －	
電話番号 － －	Eメールアドレス
ご職業 ①学生 ②会社員 ③公務員 ④自営業 ⑤主婦 ⑥無職 ⑦その他（ ）	

弊社発刊の書籍をお買い上げいただき誠にありがとうございます。皆様のご意見を参考に、よりよい企画を検討してまいりますので、下記にご記入のうえ、お送りくださいますようお願い申し上げます。

ご購入書籍　おもしろい！進化のふしぎ　**もっとざんねんないきもの事典**

A 本書を購入されたきっかけは何ですか（複数回答可）

1 既刊（□1弾「ざんねんないきもの事典」 □2弾「続〜」 □3弾「続々〜」）を持っていて

2 メディアや広告を見て（媒体名：　　　　　　　　　　　　　　　　　　　　　　　）

3 表紙や書名にきょうみをもって　4 中身を見て　5 お子さんが欲しいといって

6 知人にすすめられて　7 その他（　　　　　　　　　　　　　　　　　　　　　　　）

B この本をお読みになった方の性別・年齢は

男　　女　・（　　　　）歳

C おもしろかったページと理由をお教えください（ページ数、生き物名どちらでも）

ページ、生き物名：

理由：

D つまらなかったページと理由をお教えください（ページ数、生き物名どちらでも）

ページ、生き物名：

理由：

E 好きな生き物を教えてください

（　　　　　　　　　　　　　　　　　　　　　　　　　　　　　　　　　　　　　　　）

本書についてお気づきの点、ご感想などをお聞かせください

読んでくれてありがトン！

ご感想やご意見を本の宣伝や広告等に使用させていただいてもよろしいですか？

1 実名でも可　2 匿名なら可　3 不可

ご協力ありがとうございました。

ざんねん度《ど》

ブダイは体《からだ》をやさしくつつまれないと眠《ねむ》れない

やさしさに
つつまれたなら…

夏《なつ》の夜《よる》、カがぷ～んと耳元《みみもと》を飛《と》んでいて眠《ねむ》れないことはありませんか？　じつは、同《おな》じような悩《なや》みをもつ魚《さかな》がいます。ブダイです。

かれらはふだん、サンゴ礁《しょう》の近《ちか》くでくらしていますが、サンゴ礁《しょう》には、**ブダイの血《ち》を吸《す》う小《ちい》さな寄《き》生虫《せいちゅう》がたくさんすんでいます**。

そんななかでうっかり寝《ね》てしまったら、体中《からだじゅう》をかまれまくるのは間違《まちが》いありません。そのため、寝《ね》るときはかならず、**自分《じぶん》のエラから出《だ》したねばねばの粘液《ねんえき》に体《からだ》をつつんで眠《ねむ》る**のです。これはいわば「蚊帳《かや》」のようなもの。

かれらは、一生《いっしょう》終《お》わらない夏《なつ》の夜《よる》を過《す》ごしているのです。

プロフィール

硬骨魚類《こうこつぎょるい》

- **名前《なまえ》**　ハゲブダイ
- **生息地《せいそくち》**　インド洋《よう》から西太平洋《にしたいへいよう》のサンゴ礁《しょう》
- **大《おお》きさ**　全長《ぜんちょう》30cm
- **とくちょう**　オスは青系《あおけい》の色《いろ》、メスは赤系《あかけい》の色《いろ》をしている

アフリカゾウはハチの羽音《はおと》を聞《き》いただけで逃《に》げ出《だ》す

この音《おと》だけは
かんべんしてほしいゾウ

一寸法師《いっすんぼうし》は小《ちい》さな針《はり》を鬼《おに》に刺《さ》して退治《たいじ》しましたが、**アフリカでも同《おな》じようなことが起《お》きています。**

アフリカの多《おお》くの村《むら》では、トウモロコシを育《そだ》てていますが、ときどきアフリカゾウがやってきて、**一晩《ひとばん》で大量《たいりょう》の作物《さくもつ》を食《く》い荒《あ》らしてしまう**のです。まさに、鬼《おに》。

困《こま》った村人《むらびと》は、**数千匹《すうせんびき》のミツバチを放《はな》ってゾウを追《お》いはらうこと**にしました。ミツバチは、目《め》や鼻《はな》、口《くち》など、**やわらかい部分《ぶぶん》をねらって刺《さ》しまくる**ため、皮《ひ》ふのぶ厚《あつ》いゾウでも痛《いた》くてかなわないのです。

やがてゾウは、**録音《ろくおん》のハチの羽音《はおと》を聞《き》くだけでもビビる**ようになり、村《むら》には平和《へいわ》がもどったそうな。

プロフィール

ほ乳《にゅう》類《るい》

- ■名前《なまえ》　アフリカゾウ
- ■生息地《せいそくち》　アフリカのサバンナ
- ■大《おお》きさ　体長《たいちょう》6.8m
- ■とくちょう　現在《げんざい》、陸上《りくじょう》の動物《どうぶつ》のなかでいちばん大《おお》きいとされる

A 100ページの答《こた》え→　10%ほど

ざんねん度《ど》

ハイイロゴケグモはおばあちゃんがモテる

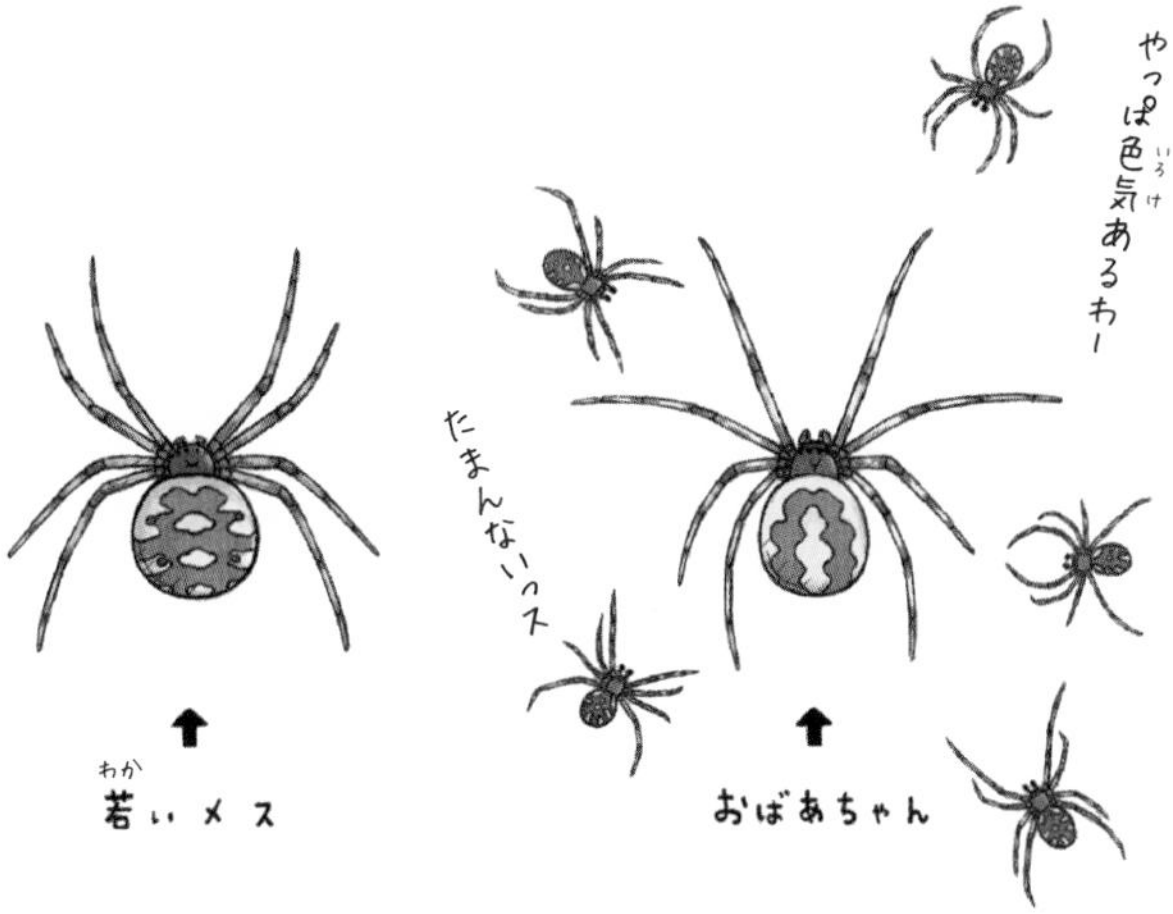

人間《にんげん》でも、年上《としうえ》の女性《じょせい》が好《す》きな男《おとこ》の人《ひと》はたくさんいますが、ハイイロゴケグモの場合《ばあい》、**おばあちゃんのほうが圧倒的《あっとうてき》にモテます。**

ある実験《じっけん》によれば、オスたちは全員《ぜんいん》、若《わか》いメスよりもおばあちゃんに熱心《ねっしん》に愛《あい》の告白《こくはく》をしたとか。オスがこれほど夢中《むちゅう》になる理由《りゆう》は、**おばあちゃんの体《からだ》から出《で》ているフェロモン。**フェロモンとは、自分《じぶん》を魅力的《みりょくてき》に見《み》せる物質《ぶっしつ》で、年《とし》をとるほど量《りょう》が増《ふ》えるそうです。

こうして、まんまと若《わか》いオスをとりこにしたおばあちゃんは、子《こ》どもをつくったあと、**むしゃむしゃとオスを食《た》べてしまいます。**まるで、妖怪《ようかい》です。

プロフィール

鋏角類《きょうかくるい》

■名前《なまえ》　ハイイロゴケグモ
■生息地《せいそくち》　オーストラリア、中央《ちゅうおう》〜南《みなみ》アメリカなどの都市部《としぶ》や草原《そうげん》
■大《おお》きさ　体長《たいちょう》8㎜（メス）
■とくちょう　船《ふね》の貨物《かもつ》にまぎれて日本各《にほんかく》地《ち》にも広《ひろ》がっている

アルマジロはおしっこのにおいにまみれないと安心《あんしん》できない

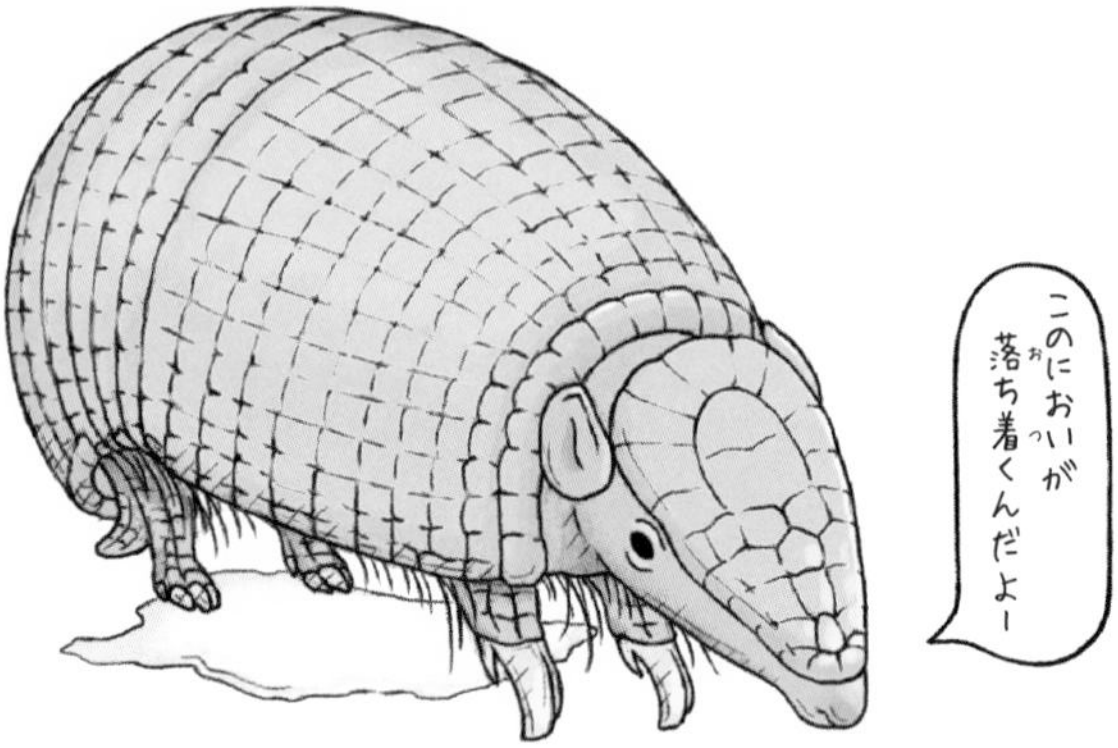

全身《ぜんしん》を鎧《よろい》のようにかたいうろこで守《まも》っているアルマジロ。鉄壁《てっぺき》のガードのおかげで、肉食動物《にくしょくどうぶつ》たちもなかなか手《て》を出《だ》せません。

そんなアルマジロですが、動物《どうぶつ》園《えん》などで飼育《しいく》されると、**思《おも》わぬ理《り》由《ゆう》で死《し》ぬこともある**そうです。それは、おしっこのしすぎ。限界《げんかい》を超《こ》えておしっこをしてしまい、**体《からだ》の中《なか》の水分《すいぶん》が足《た》りなくなって死《し》んでしまう**のです。

かれらはおしっこのにおいでなわばりを知《し》らせます。そのため、動物園《どうぶつえん》のように広《ひろ》くてきれいな場《ば》所《しょ》では、**いろいろな場所《ばしょ》におしっこをしないと落《お》ち着《つ》かず、最終的《さいしゅうてき》に脱水症状《だっすいしょうじょう》になってしまう**のです。

プロフィール

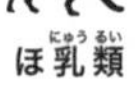

ほ乳類《にゅうるい》

■名前《なまえ**》** ミツオビアルマジロ
■生息地《せいそくち》 中央《ちゅうおう》アメリカから南《みなみ》アメリカにかけての草原《そうげん》
■大《おお》きさ 体長《たいちょう》25㎝
■とくちょう 目《め》がほとんど見《み》えないので、においに頼《たよ》って生活《せいかつ》している

Q ノミガイは長距離《ちょうきょり》を移動《いどう》するとき、どうやって移動《いどう》する？ →答《こた》えは106ページ

勝手《かって》に死《し》に神《がみ》だと思《おも》われた シバンムシ

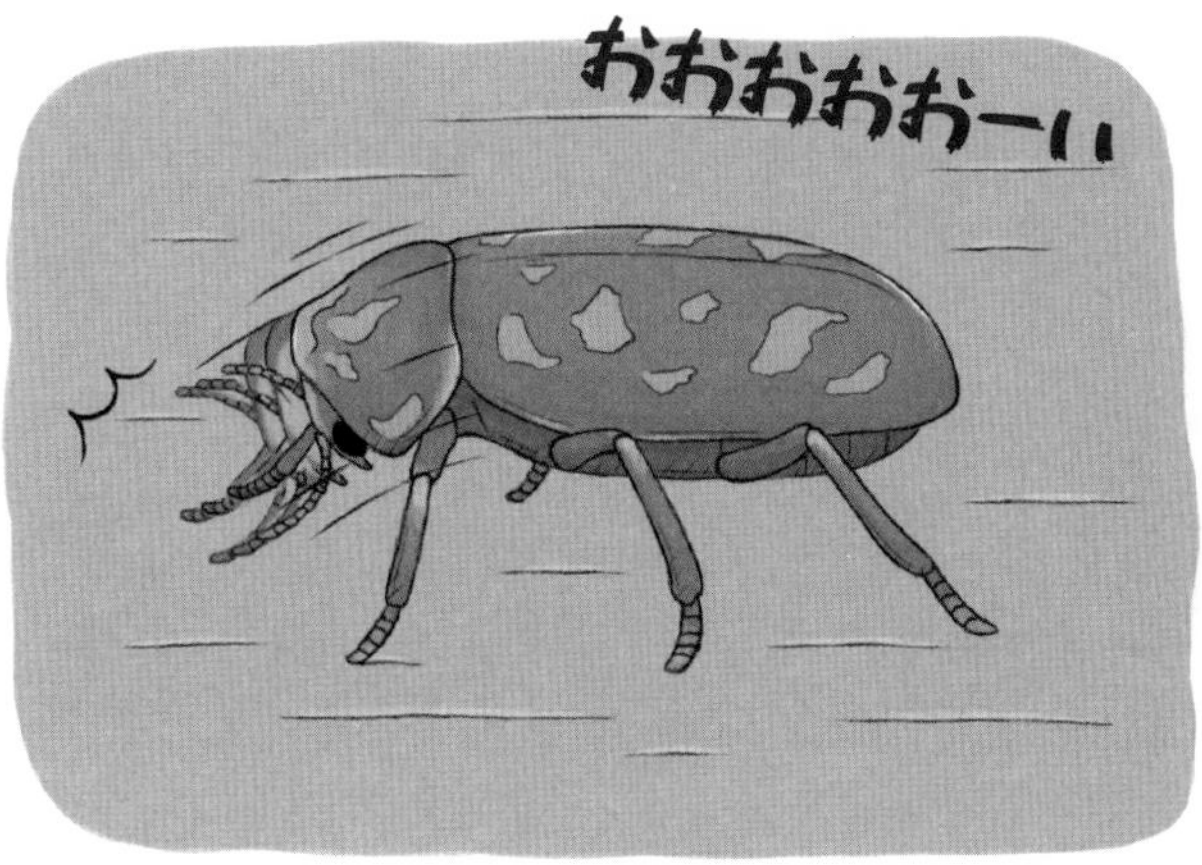

あまり聞《き》き慣《な》れないシバンムシという虫《むし》。じつは、世界中《せかいじゅう》に約《やく》**2000種類《しゅるい》もなかま**がいて、古《ふる》くなった家《いえ》の木材《もくざい》や、本《ほん》を食《た》べてしまいます。

このうち、人《ひと》の家《いえ》にもすみつくマダラシバンムシは、夜《よる》になると**頭《あたま》やあごを柱《はしら》などにガンガン打《う》ちつけて音《おと》を出《だ》します**。こうして、オスとメスで会話《かいわ》しているのです。

これが人間《にんげん》には、まるで時計《とけい》の針《はり》がカチカチと進《すす》む音《おと》のように聞《き》こえ、いつしか**「死《し》に神《がみ》が残《のこ》りの寿命《じゅみょう》を数《かぞ》えている」**という迷信《めいしん》がうまれました。シバンムシは漢字《かんじ》で書《か》くと「死番虫《しばんむし》」。死《し》の番人《ばんにん》と勝手《かって》におそれられていたのです。

プロフィール

昆虫類《こんちゅうるい》

■名前《なまえ》　マダラシバンムシ
■生息地《せいそくち》　ヨーロッパの林《はやし》や人家《じんか》
■大《おお》きさ　体長《たいちょう》5㎜
■とくちょう　害虫《がいちゅう》としてきらわれることも多《おお》い

オオグチボヤはいつもぼーっとしている

長《なが》い人生《じんせい》、心《こころ》が弱《よわ》るときはだれにだってあります。そんなときは**「もう何《なに》もしたくない……動《うご》きたくない……」**と思《おも》いますが、それをリアルに毎日《まいにち》やっているのがオオグチボヤです。

深海生物《しんかいせいぶつ》であるかれらは、海底《かいてい》にくっついたまま一生《いっしょう》動《うご》きません。**大《おお》きな口《くち》※を開《あ》けて、ただただぼーっとしています。**こうしてたまに口《くち》に入《はい》ってきたプランクトンなどをこしとって食《た》べるのです。

ストレスのない生活《せいかつ》のおかげか、つねに笑《わら》っているようにも見《み》えるかれらですが、**危険《きけん》を感《かん》じたときは、口《くち》を閉《と》じて真顔《まがお》になる**そうです。

※正確《せいかく》には入水孔《じゅすいこう》。ここに海水《かいすい》を入《い》れて、中《なか》にいるえさをこしとって食《た》べる

プロフィール

ホヤ類《るい》

- ■**名前《なまえ》**　オオグチボヤ
- ■**生息地《せいそくち》**　日本《にほん》のまわりなどの深海《しんかい》
- ■**大《おお》きさ**　全長《ぜんちょう》25㎝
- ■**とくちょう**　子《こ》どものときはオタマジャクシのような姿《すがた》で泳《およ》ぐ

A 104ページの答《こた》え→ 鳥《とり》に食《た》べられて移動《いどう》する

カケスのシャワーはなぜかアリ

野生《やせい》の生《い》き物《もの》の体《からだ》には、小《ちい》さな虫《むし》や菌《きん》がたくさんついています。これらを放《ほう》っておくと、**病気《びょうき》の原因《げんいん》にもなる**ため、多《おお》くの生《い》き物《もの》は、たまに川《かわ》や池《いけ》に入《はい》って体《からだ》をきれいにするのです。

しかし、カラスのなかまであるカケスは、手軽《てがる》そうな水《みず》ではなく、聞《き》いただけでこっちがむずむずしてくる**アリのシャワーをあびます。**

そのあび方《かた》も独特《どくとく》で、翼《つばさ》でわざとアリの巣《す》をつついて刺激《しげき》します。すると怒《おこ》ったアリたちは、いっせいにカケスの体《からだ》によじ登《のぼ》り、羽《はね》にかじりつきます。このときアリの口《くち》から出《で》る、**触《さわ》るとヒリヒリする汁《しる》で体《からだ》の菌《きん》を殺《ころ》す**のです。

プロフィール

鳥類《ちょうるい》

■**名前《なまえ》**　カケス
■**生息地《せいそくち》**　ヨーロッパから東《ひがし》アジアの森林《しんりん》
■**大《おお》きさ**　全長《ぜんちょう》33㎝
■**とくちょう**　ドングリを地面《じめん》などにうめて、あとでほり返《かえ》して食《た》べる

コロンビアジリスはキス魔《ま》

おとなのなかには、お酒《さけ》を飲《の》むとだれかれかまわずキスをしまくる「キス魔《ま》」に変身《へんしん》する人《ひと》がいます。キス魔《ま》になった人《ひと》は、最後《さいご》には平手《ひらて》打《う》ちを食《く》らって目《め》を覚《さ》ますことになりますが、コロンビアジリスは、お酒《さけ》も飲《の》んでいないのに、**いつでもだれとでもキスをします。**

といっても、キスをするのは、**相手《あいて》のにおいをかぐため。**かれらは口《くち》の近《ちか》くに「臭腺《しゅうせん》」というにおいを出《だ》す器官《きかん》があります。このにおいをかごうとして、おたがいに顔《かお》を近《ちか》づけ、結果的《けっかてき》にキスをしてしまうというわけ。

かれらにとって**キスはロマンスではなく、ただの自己紹介《じこしょうかい》**です。

プロフィール

ほ乳類《にゅうるい》

■名前《なまえ**》** コロンビアジリス

■生息地《せいそくち》 北《きた》アメリカの高山地帯《こうざんちたい》や山《さん》地《ち》の草原《そうげん》

■大《おお》きさ 体長《たいちょう》35㎝

■とくちょう 1年《ねん》のうち8か月以上《げついじょう》を冬眠《とうみん》している

Q 地球温暖化《ちきゅうおんだんか》の原因《げんいん》になっているウシの○○○とは？

→答《こた》えは110ページ

ヤマトシロアリは卵《たまご》と間違《まちが》えてせっせとカビの世話《せわ》をする

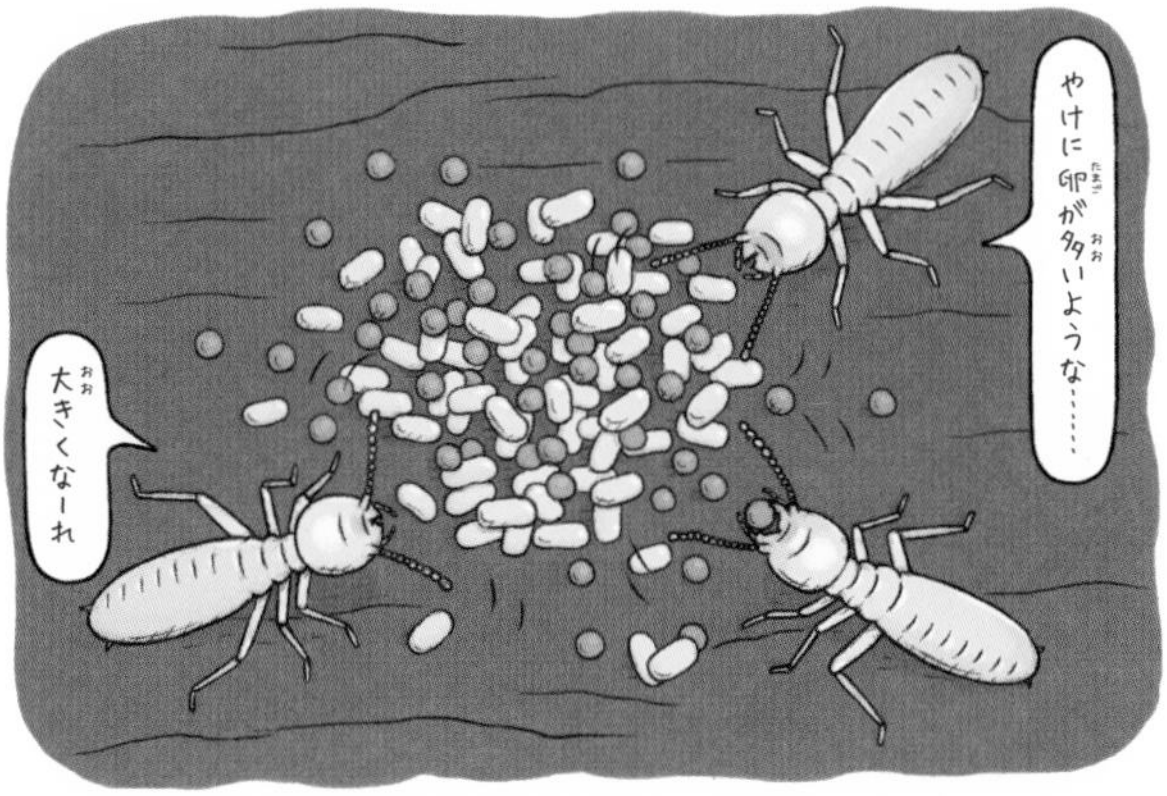

ヤマトシロアリの働《はたら》きアリは、女王《じょおう》アリがうんだ卵《たまご》を1か所《しょ》に集《あつ》めて世話《せわ》をします。ところが、うっかり**卵《たまご》ではなくカビの塊《かたまり》を育《そだ》ててしまう**ことがあるようです。

かれらは形《かたち》や大《おお》きさ、においなどで、それが卵《たまご》かどうかを判断《はんだん》します。ところが、卵《たまご》と間違《まちが》えて**イクラに似《に》たカビのボール**を巣《す》に運《はこ》んでしまうことも。このカビは「ターマイトボール」とよばれ、**大《おお》きさだけでなくにおいも卵《たまご》そっくり**です。卵《たまご》と色《いろ》は違《ちが》いますが、働《はたら》きアリは視力《しりょく》が弱《よわ》いため、区別《くべつ》がつかないのです。

その結果《けっか》、**卵《たまご》よりもカビの数《かず》のほうが多《おお》い**こともあるのだとか。

プロフィール

昆虫類《こんちゅうるい》

- ■**名前《なまえ》**　ヤマトシロアリ
- ■**生息地《せいそくち》**　北海道南部《ほっかいどうなんぶ》から南西諸島《なんせいしょとう》のかれ木《き》など
- ■**大《おお》きさ**　体長《たいちょう》6㎜
- ■**とくちょう**　家《いえ》の木材《もくざい》などを食《た》べてしまうので、害虫《がいちゅう》といわれる

オオアリクイはとにかくあまえんぼう

オオアリクイは、**1日《にち》に約《やく》3万《まん》匹《びき》のアリを食《た》べます。**毎日《まいにち》たくさんのアリの巣《す》を回《まわ》って、少《すこ》しずつ食《た》べることで、食料《しょくりょう》のアリが全滅《ぜんめつ》するのを防《ふせ》いでいるのです。

ただ、少《すこ》し困《こま》るのは、子《こ》どもがいるとき。かれらは決《き》まった巣《す》をもっていません。そのため、オオアリクイの母親《ははおや》は、子《こ》どもがうまれると**1年《ねん》ぐらいずっとおんぶしたまま移動《いどう》します。**こうすると母《はは》と子《こ》の体《からだ》の模様《もよう》がうまく重《かさ》なって、子《こ》どもが敵《てき》に見《み》つかりにくくなるというメリットもあるのです。

とはいえ、**半年《はんとし》で子《こ》どもの体重《たいじゅう》は20kg近《ちか》くになる**ので、つねに筋《きん》トレ状態《じょうたい》です。

プロフィール

ほ乳類《にゅうるい》

■名前《なまえ》	オオアリクイ	■大《おお》きさ	体長《たいちょう》1.1m
■生息地《せいそくち》	中央《ちゅうおう》アメリカから南《みなみ》アメリカにかけての草原《そうげん》や湿地《しっち》	■とくちょう	長《なが》い舌《した》を最高《さいこう》で1分間《ぶんかん》に160回《かい》も出《だ》し入《い》れする

オオアナツバメの巣《す》はよだれ

ぼくのよだれ
おいしいの？

中国料理《ちゅうごくりょうり》には、「ツバメの巣《す》」という、**フカヒレやほしアワビとならぶ高級食材《こうきゅうしょくざい》**があります。プルンとした食感《しょっかん》が味《あじ》わえるこの巣《す》の正体《しょうたい》は、断崖絶壁《だんがいぜっぺき》にあるオオアナツバメの巣《す》なのですが、**何《なに》をかくそうよだれでできています。**

かれらのよだれは**ネバネバで、固《かた》まると白《しろ》くすき通《とお》ったビニールのように**なります。それを何百本《なんびゃっぽん》と重《かさ》ねて巣《す》をつくるのです。

ほかの鳥《とり》の巣《す》は葉《は》っぱや枝《えだ》を使《つか》うので、もちろん食《た》べられません。対《たい》してオオアナツバメの巣《す》は、**ほぼ100％よだれ産《さん》**。その巣《す》でできたスープに、人間《にんげん》はよだれをたらします。

プロフィール

鳥類《ちょうるい》

■**名前《なまえ》**　オオアナツバメ
■**生息地《せいそくち》**　東南《とうなん》アジアの海岸《かいがん》
■**大《おお》きさ**　全長《ぜんちょう》17㎝
■**とくちょう**　断崖《だんがい》のどうぐつの中《なか》に集団《しゅうだん》でたくさんの巣《す》をつくる

ブチハイエナのオスは肩《かた》身《み》がせまい

動物界《どうぶつかい》では、オスのほうが力《ちから》が強《つよ》いことがふつうです。しかし、ブチハイエナはオスよりもメスのほうが体《からだ》が大《おお》きく、筋力《きんりょく》も上《うえ》。**狩《か》りもすべてメスだけで行《おこな》います。**

そのため、ブチハイエナのむれでは、つねにメスがリーダー。オスはリーダーになれないどころか、**むれのどのメスよりも地位《ちい》が低《ひく》い**のです。

このように男《おとこ》らしい生活《せいかつ》をしているためか、ブチハイエナのメスには、なんと**にせもののおちんちんが生《は》えています。**しかも、この**おちんちんから子《こ》どもをうむ**というから、人間《にんげん》の男性《だんせい》もブチハイエナのメスを尊敬《そんけい》せざるを得《え》ません。

プロフィール

ほ乳類《にゅうるい》

- **名前《なまえ》** ブチハイエナ
- **生息地《せいそくち》** アフリカのサバンナ
- **大《おお》きさ** 体長《たいちょう》1.4m
- **とくちょう** 複雑《ふくざつ》な巣穴《すあな》をほって、そこで子育《こそだ》てをする

シマテンレックはいろいろてきとう

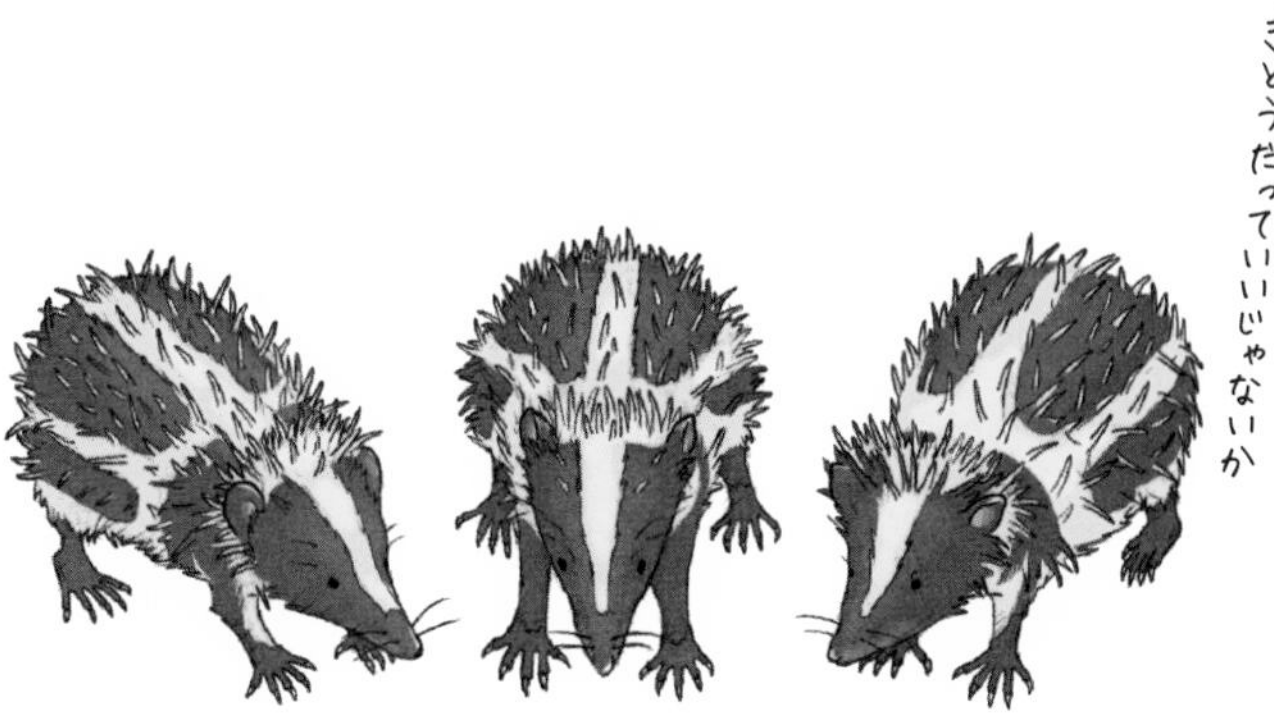
てきとうだっていいじゃないか

シマテンレックは、心《こころ》が疲《つか》れた現代人《げんだいじん》に元気《げんき》をわけてくれます。

かれらは敵《てき》を見《み》つけると、首《くび》の毛《け》をハリネズミのように立《た》ておどします。しかし**この毛《け》はやわらかめで身《み》を守《まも》るのに役立《やくだ》ちません。**

また、**おしっことうんこと赤《あか》ちゃん**を全部同《ぜんぶおな》じ穴《あな》から出《だ》します。

それから、ほ乳類《にゅうるい》なのに**気温次《きおんし》第《だい》で体温《たいおん》が変《か》わります。**

さらには、遺伝子《いでんし》を調《しら》べたところ、ハリネズミみたいな見《み》た目《め》なのに、**ゾウやジュゴンに近《ちか》いこと**がわかりました。

こんなてきとうでも、今日《きょう》も元《げん》気《き》に生《い》きています。細《こま》かいことは気《き》にしないのがいちばんですね。

プロフィール

ほ乳類《にゅうるい》

■名前《なまえ》	シマテンレック	■大《おお》きさ	体長《たいちょう》17cm
■生息地《せいそくち》	マダガスカル島《とう》の森林《しんりん》	■とくちょう	背中《せなか》の毛《け》を高速《こうそく》でこすり合《あ》わせて音《おと》を出《だ》す

ナキウサギは うんこを食《た》べては、 必死《ひっし》に積《つ》み上《あ》げる

バランスが
むずかしいのよ
ちょこん

まるでハムスターのようにかわいいナキウサギ。そんなかれらの**特技《とくぎ》は、うんこの2段階活用《だんかいかつよう》**です。

草《くさ》やコケを食《た》べるナキウサギは、緑色《みどりいろ》のやわらかいうんこをします。このうんこには栄養《えいよう》が豊富《ほうふ》に入《はい》っているので、**出《だ》したそばからもぐもぐと食《た》べてしまいます。**

そして2回目《かいめ》のうんこ、つまりうんこを食《た》べてできたうんこは、かたくてコロコロしています。このうんこを使《つか》って、かれらは**せっせとうんこのピラミッドをつくります**。これは「ため糞《ふん》」といって、敵《てき》やなかまになわばりを知《し》らせる役割《やくわり》があるそうですが、それにしてもうんこが好《す》きすぎです。

プロフィール

ほ乳類《にゅうるい》

■ **名前《なまえ》** エゾナキウサギ
■ **生息地《せいそくち》** 北海道《ほっかいどう》の山地《さんち》
■ **大《おお》きさ** 体長《たいちょう》16㎝
■ **とくちょう** 冬《ふゆ》にむけて岩《いわ》のかげなどに夫婦《ふうふ》で食料《しょくりょう》をためこむ

ラブカはお母《かあ》さんのおなかの中《なか》で3年《ねん》半《はん》もひきこもる

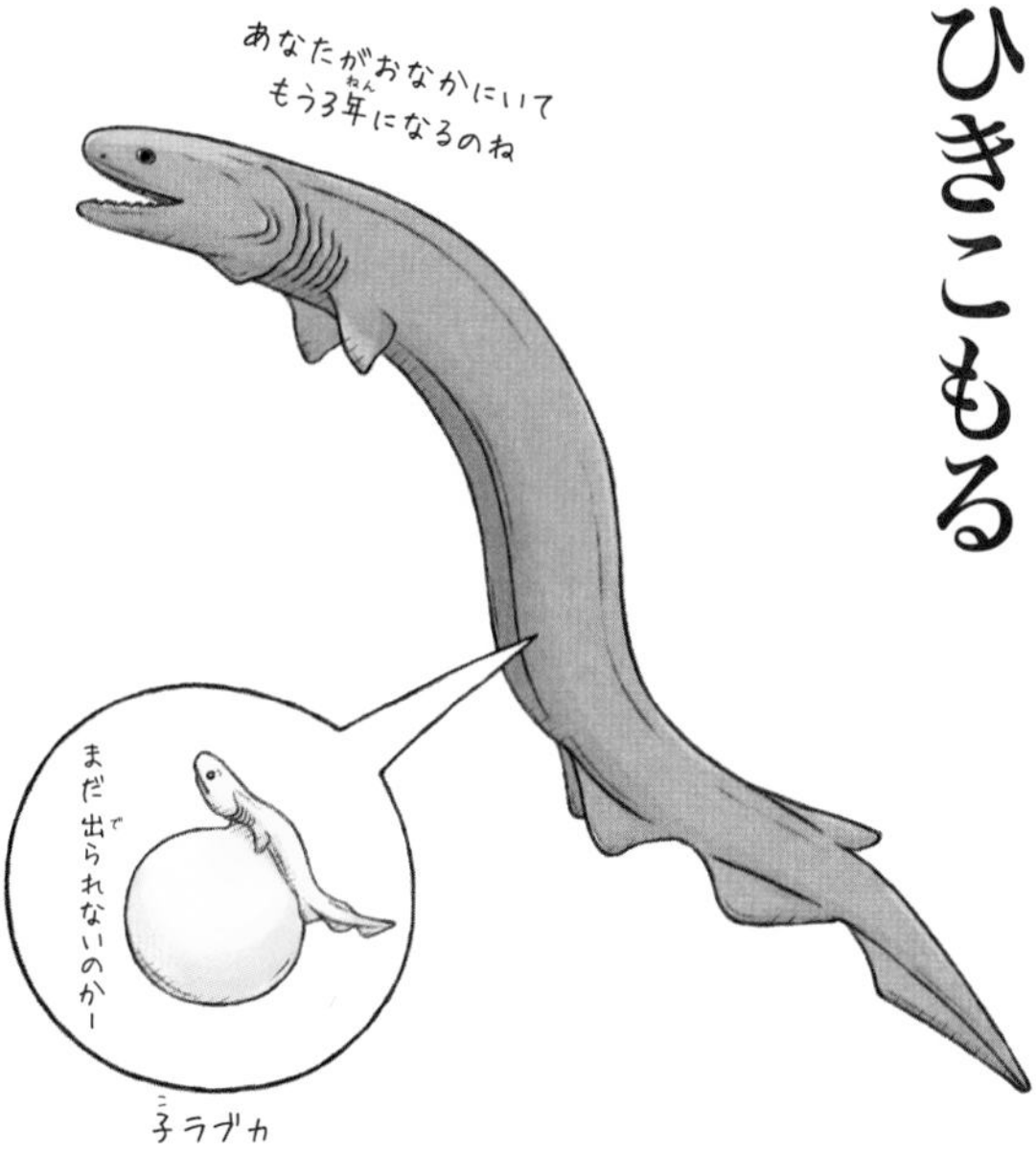
あなたがおなかにいて
もう3年《ねん》になるのね
まだ出《で》られないのかー
子《こ》ラブカ

ラブカは、深海《しんかい》にすむサメのなかま。メスはほかの魚《さかな》のように、岩《いわ》や海底《かいてい》に卵《たまご》をうみつけることはしません。**自分《じぶん》のおなかの中《なか》で大《たい》切《せつ》に育《そだ》てます。**

やがておなかの中《なか》で卵《たまご》がかえりますが、子《こ》どもは外《そと》に出《で》ず、**母親《ははおや》のおなかにひきこもります。**その期間《きかん》、**なんと3年《ねんはん》半**。人間《にんげん》なら会《かい》話《わ》もできるほど成長《せいちょう》しています。

ラブカは**生《い》きた化石《かせき》**とよばれるほど昔《むかし》から、姿《すがた》を変《か》えていない貴《き》重《ちょう》な生《い》き物《もの》。ここまで生《い》き残《のこ》った理由《りゆう》がこの子育《こそだ》てにあるのなら、今後《こんご》も絶滅《ぜつめつ》しないために、ラブカの子《こ》どもにはおなかの中《なか》でがまんしてもらいましょう。

プロフィール

■名前《なまえ》　ラブカ	■大《おお》きさ　全長《ぜんちょう》2m
■生息地《せいそくち》　世界各地《せかいかくち》の深海《しんかい》	■とくちょう　先《さき》が3つにわかれたするどい歯《は》でえものにかみつく

軟骨魚類《なんこつぎょるい》

ネコはキュウリを見《み》ると超《ちょう》おどろく

「えさを食《た》べているネコのうしろにキュウリをそっとおく」。何《なん》のことかというと、数年前《すうねんまえ》にユーチューブなどの動画共有《どうがきょうゆう》サイトで話題《わだい》になったいたずら動画《どうが》です。

人気《にんき》の理由《りゆう》は、ネコのリアクション。キュウリに気《き》づいた瞬間《しゅんかん》、**おどろきのあまり空中《くうちゅう》に飛《と》び上《あ》がって逃《に》げる**のです。しかも、ほとんどのネコが同《おな》じ反応《はんのう》をします。

なぜこのようなリアクションをとるのかはわかりませんが、ある動物学者《どうぶつがくしゃ》は**「キュウリがヘビに見《み》えるからだろう」**と考《かんが》えています。

しかし、ネコの反応《はんのう》がかわいいからといって、むやみにおどろかせるのは本当《ほんとう》にやめてください。

プロフィール

ほ乳類《にゅうるい》

- **名前《なまえ》** ネコ（イエネコの総称《そうしょう》）
- **生息地《せいそくち》** 世界中《せかいじゅう》で飼《か》われている
- **大《おお》きさ** 体長《たいちょう》70㎝
- **とくちょう** 祖先《そせん》はリビアヤマネコで、改良《かいりょう》されてたくさんの品種《ひんしゅ》がある

Q キノボリトカゲのいかくの方法《ほうほう》は？

→答《こた》えは118ページ

オンブバッタが背《せ》負《お》っているのは、子《こ》ではなく夫《おっと》

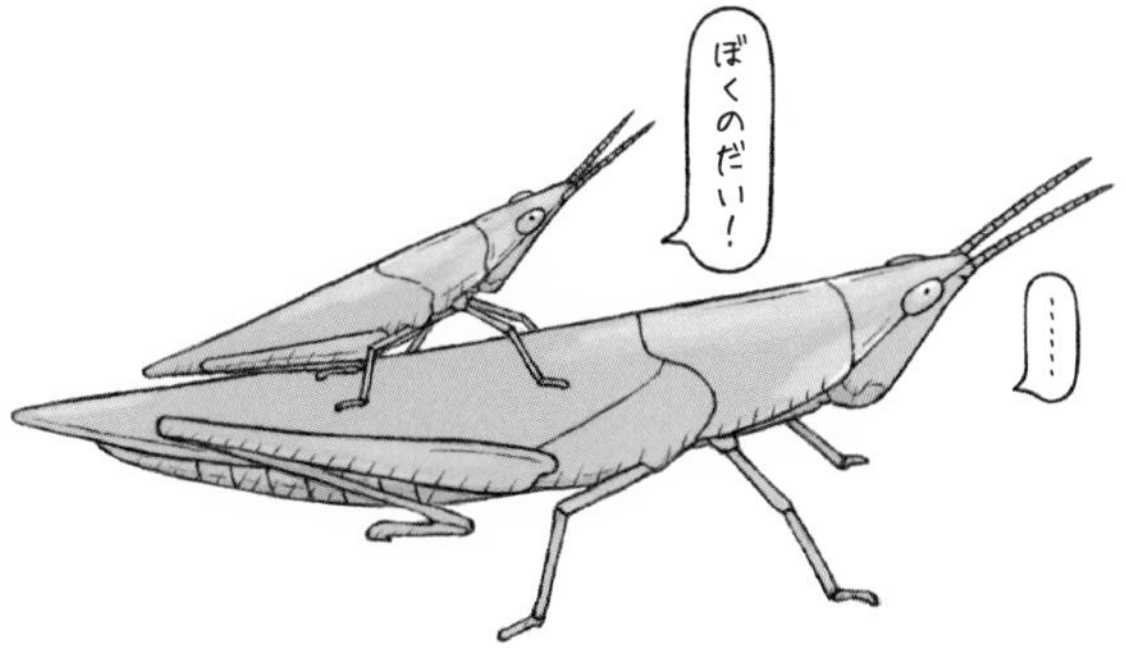

小《ちい》さなバッタをおんぶしているオンブバッタ。「ママが子《こ》どもをおんぶするなんて子育《こそだ》て熱心《ねっしん》ね」と思《おも》いきや、おんぶされているのはおとなのオスのバッタ。つまり**ママがパパをおんぶしている**のです。

これはメスがオスを守《まも》っているのではありません。**オスがメスをひとり占《じ》めするために無理《むり》やり背《せ》中《なか》にのっているそう。**たまにほかのオスがやってくると、メスの背《せ》中《なか》にのったままケンカになることもあるとか。**「とりあえず、おりろ」と言《い》いたくなりますが**、オスも子孫《しそん》を残《のこ》すために必死《ひっし》です。

ちなみに卵《たまご》をうんだあと、**オンブバッタは子育《こそだ》てを一切《いっさい》しません。**

プロフィール

昆虫類《こんちゅうるい》

■**名前《なまえ》**　オンブバッタ
■**生息地《せいそくち》**　日本全国《にほんぜんこく》の草原《そうげん》など
■**大《おお》きさ**　体長《たいちょう》4cm（メス）
■**とくちょう**　手《て》でつかむと、口《くち》から黒《くろ》っぽい液体《えきたい》を出《だ》すことがある

レミングはむちゃをしがち

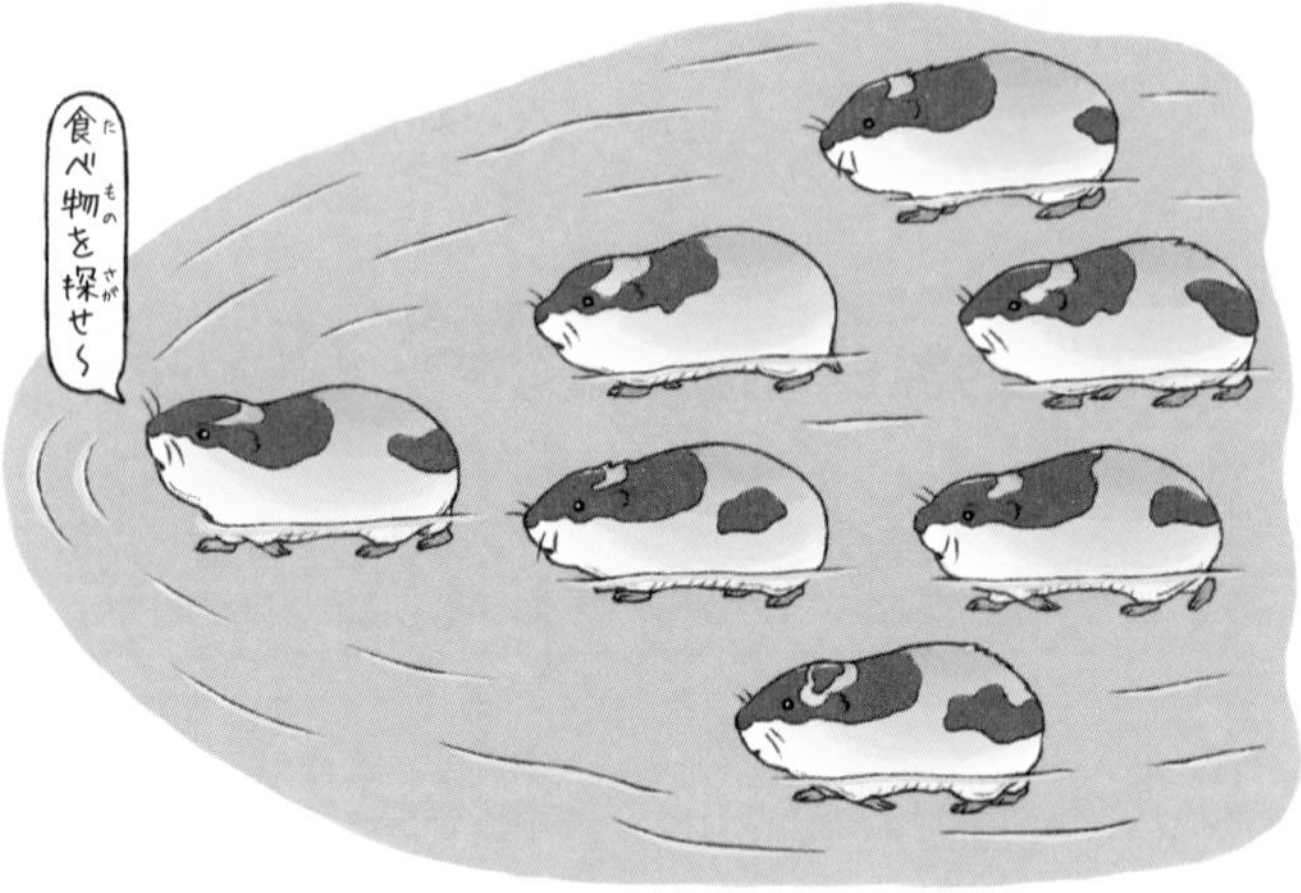

キュートな見《み》た目《め》のレミングですが、じつはかなりミステリアスな生《い》き物《もの》。理由《りゆう》はよくわかっていませんが、**3～5年《ねん》に一度《いちど》、異常《いじょう》増殖《ぞうしょく》する**ことがあります。そのスピードは1年《ねん》で個体数《こたいすう》が10倍増《ばいぞう》、つまり、計算上《けいさんじょう》は**100匹《ぴき》が5年《ねん》後《ご》には1000万匹《まんびき》まで増《ふ》えます。**

これだけ増《ふ》えると、山地《さんち》の広《ひろ》い草原《そうげん》や森《もり》も一瞬《いっしゅん》で荒《あ》れ地《ち》に。そのため、数《かず》が増《ふ》えると**食料《しょくりょう》を求《もと》めて大移動《だいいどう》を始《はじ》めます。**そして、途中《とちゅう》にある川《かわ》や海《うみ》でおぼれ死《し》んだり、空腹《くうふく》で死《し》んだりして、**3～4年後《ねんご》には絶滅《ぜつめつ》が心配《しんぱい》されるほど数《かず》が減《へ》ります。**かれらはこのサイクルを何度《なんど》もくり返《かえ》すのです。

プロフィール

ほ乳類《にゅうるい》

■名前《なまえ》　ノルウェーレミング

■生息地《せいそくち》　スカンジナビア半島《はんとう》、ロシア北西部《ほくせいぶ》の山地《さんち》など

■大《おお》きさ　体長《たいちょう》12㎝

■とくちょう　ふだんは単独《たんどく》で生活《せいかつ》し、木《き》の実《み》や草《くさ》を食《た》べる

A 116ページの答《こた》え→　腕立《うでた》てふせ

シチメンチョウはギリギリで生《い》きている

　クリスマスに食《た》べる鳥《とり》として有《ゆう》名《めい》なシチメンチョウ。じつは、**人《にん》間《げん》だったら即入院《そくにゅういん》レベルの超《ちょう》不《ふ》健《けん》康《こう》な体質《たいしつ》**をしています。

　それはずばり、高血圧《こうけつあつ》。人間《にんげん》の最高《さいこう》※血圧《けつあつ》は１２０㎜Hgくらいですが、かれらの血圧《けつあつ》は**３倍《ばい》以上《いじょう》の４００㎜Hgもあります**。この数値《すうち》は動物界《どうぶつかい》ナンバーワン。

　鳥《とり》のなかまは、体《からだ》に対《たい》して心臓《しんぞう》が大《おお》きく、血圧《けつあつ》は高《たか》め。なかでもシチメンチョウは**血液《けつえき》がドロドロしている**ので、全身《ぜんしん》に血《ち》を送《おく》るために心臓《しんぞう》が強《つよ》い力《ちから》でおし出《だ》す必要《ひつよう》があるのです。

　いつも青白《あおじろ》い顔《かお》をしているので、血《ち》が通《かよ》っているか心配《しんぱい》になります。

※心臓《しんぞう》から送《おく》り出《だ》される血液《けつえき》が血管《けっかん》の壁《かべ》をおす力《ちから》のこと

プロフィール

鳥類《ちょうるい》

■**名前《なまえ》**　シチメンチョウ
■**生息地《せいそくち》**　北《きた》アメリカの林《はやし》や草原《そうげん》
■**大《おお》きさ**　全長《ぜんちょう》1.2m（オス）
■**とくちょう**　顔《かお》の色《いろ》が赤《あか》、青《あお》、紫《むらさき》などに変《か》わることから名《な》がついた

プレーリードッグは家族《かぞく》が増《ふ》えると お父《とう》さんが追《お》い出《だ》される

草原《そうげん》の地下《ちか》に、**最大《さいだい》で長《なが》さ30mにもなる巨大《きょだい》な巣穴《すあな》をほる**プレーリードッグ。かれらはその巣穴《すあな》の中《なか》で「コテリー」という家族《かぞく》をつくってくらしています。

　コテリーの数《かず》は8匹《ぴき》ほどで、人《にん》間《げん》の大家族《だいかぞく》とそれほど変《か》わりません。しかし、**その中《なか》にいるオスは、父親《ちちおや》1匹《ぴき》だけ。**メスの子《こ》どもはずっと同《おな》じ巣穴《すあな》でくらせますが、オスの子《こ》どもはおとなになると、自分《じぶん》のコテリーをつくるために、巣穴《すあな》から出《で》なければなりません。

　さらに、一家《いっか》の大黒柱《だいこくばしら》であるはずの父親《ちちおや》ですら、巣穴《すあな》でくらせるのは子《こ》づくりのときだけ。子《こ》づくりの時期《じき》が終《お》わったら、**まっ先《さき》に家《いえ》を出《で》るのが定《さだ》め**なのです。

プロフィール

ほ乳類《にゅうるい》

- **名前《なまえ》**　オグロプレーリードッグ
- **生息地《せいそくち》**　アメリカ中央部《ちゅうおうぶ》の平原《へいげん》や高原《こうげん》
- **大《おお》きさ**　体長《たいちょう》30cm
- **とくちょう**　イヌのように鳴《な》くことから「草原《そうげん》の犬《いぬ》」という名《な》がついた

オオセンチコガネはグルメだが、食《た》べるのはうんこ

こっちのうんこ
きれいだぜ！
こっちのほうが
新鮮《しんせん》だぜ！

オオセンチコガネは、地球一《ちきゅういち》の**うんこグルメマスター**です。かれらの体《からだ》は、赤《あか》、青《あお》、緑《みどり》と色《いろ》とりどりですが、**その一生《いっしょう》はまさにうんこ一色《いっしょく》。**

まず母親《ははおや》は、シカやタヌキなどのうんこで、大《おお》きなうんこボールをつくります。それを地面《じめん》にうめて、その**うんこボールの中《なか》に卵《たまご》をうむ**のです。そして、うまれた子《こ》どもは、母親《ははおや》がつくったうんこボールを食《た》べて大《おお》きくなります。

うんこを食《た》べて育《そだ》った子《こ》どもは、**やがて理想《りそう》のうんこを追求《ついきゅう》するよ**うに。うまれた場所《ばしょ》によって、タヌキのうんこ専門《せんもん》、シカのうんこ専門《せんもん》と、好《この》みがわかれていきます。

プロフィール

昆虫類《こんちゅうるい》

■**名前《なまえ》**　オオセンチコガネ
■**生息地《せいそくち》**　北海道《ほっかいどう》から九州《きゅうしゅう》の林《はやし》など
■**大《おお》きさ**　体長《たいちょう》2㎝
■**とくちょう**　地域《ちいき》によってさまざまな色《いろ》の個体《こたい》がいる

ヌーの子《こ》どもはよく迷子《まいご》になる

アフリカの草原《そうげん》でくらすヌーは、毎年《まいとし》4月《がつ》になると、**食《た》べられる草《くさ》を求《もと》めて全員《ぜんいん》で大移動《だいいどう》**します。その数《かず》は約《やく》100万頭《まんとう》で、そのうちの約半数《やくはんすう》が子《こ》どもを連《つ》れた母親《ははおや》です。**半年《はんとし》かけて1600kmもの距離《きょり》を歩《ある》く**ため、途中《とちゅう》で子《こ》どもの体力《たいりょく》がつきて迷子《まいご》になることも少《すく》なくありません。

母親《ははおや》とはぐれた子《こ》どもは、肉食《にくしょく》動物《どうぶつ》たちのかっこうのえじきに。陸《りく》ではチーターに、川《かわ》ではワニにおそわれ食《た》べられてしまいます。

しかし、最大《さいだい》の危険《きけん》は、じつは川《かわ》そのもの。川《かわ》をわたるときに、**毎年《まいとし》6000頭以上《とういじょう》がおぼれ死《し》ぬきびしい運命《うんめい》**が待《ま》っています。

プロフィール

ほ乳類《にゅうるい》

- **名前《なまえ》**　オグロヌー
- **生息地《せいそくち》**　ケニアからアフリカ南部《なんぶ》の草原《そうげん》
- **大《おお》きさ**　体長《たいちょう》2m
- **とくちょう**　敵《てき》に対《たい》して角《つの》や足《あし》で土《つち》をけり上《あ》げていかくすることがある

ざんねんなダンスくらべ

生《い》き物《もの》も、恋《こい》をします。好《す》きな子《こ》にもうれつアタック……そのアピール方法《ほうほう》は、「ステキなダンスをおどる」こと。オスたちは真剣《しんけん》ですが、その姿《すがた》にはちょっとクスッとさせられます。かれらのダンス姿《すがた》を、とくとご覧《らん》あれ！

ミシシッピアカミミガメ
ほらほ～ら
ゆうれいダンス
メスの目《め》の前《まえ》で手《て》をピロピロと動《うご》かして、さそいます
全力《ぜんりょく》ブレイクダンス
全身《ぜんしん》をグニャグニャとくねらせます
これでもか!!
これでもか!!!!
うぃ～
おじょうさん
かわいいね～
よっぱらいダンス
左右《さゆう》の足《あし》を交互《こうご》に上《あ》げ、よたよたと左右《さゆう》にゆれます
アオアシカツオドリ
ダチョウ

オドリホウオウ
ぼくを見て〜〜
ひたすら
上《じょう》下《げ》運動《うんどう》ダンス
気《き》に入《い》られるまでひたすら上《あ》がったり下《さ》がったりします
フガフガ
鼻《はな》ブルンブルンダンス
鼻《はな》の皮《ひ》ふをふくらませ、ブルンブルンとふりまわします
ズキンアザラシ
シオマネキ
だまってついてこいや〜!
男《おとこ》気《ぎ》ダンス
片方《かたほう》だけハサミが大《おお》きく、それを手《て》まねきするようにふります
ハエトリグモ
けいれんしてるわけじゃないよ
けいれんダンス
２本《ほん》の前《まえ》足《あし》を高《たか》く上《あ》げ、プルプルとふるわせます

3 サルの歩《ある》き方《かた》

わたくし、チンパンジーと申《もう》します。
ふだんは木《き》の上《うえ》で生活《せいかつ》しているため、
腕《うで》は長《なが》く、手《て》はものをつかむように進化《しんか》しました。
そのため、地上《ちじょう》では前足《まえあし》をグーにして歩《ある》きます。
二足歩行《にそくほこう》もできますが、四足歩行《しそくほこう》のほうが速《はや》く動《うご》けます。

ＹＯ《ヨ》ー、ベローシファカだＹＯ《ヨ》！
ぼくらもいつもは木《き》の上《うえ》で生活《せいかつ》しているから、
木《き》の枝《えだ》の上《うえ》での動《うご》きに適《てき》して、うしろ足《あし》が長《なが》いんだ。
どうしても地上《ちじょう》におりなきゃいけないときは、
横《よこ》っ飛《と》びで移動《いどう》するＹＯ《ヨ》！

チンパンジー

・四足歩行《しそくほこう》をする
・前足《まえあし》はグーにして歩《ある》く
・前足《まえあし》にものをもっているときなどは二足歩行《にそくほこう》もする

ベローシファカ

・横《よこ》っ飛《と》びで移動《いどう》する

ヒヨケザルでござんす。
地上《ちじょう》は肉食獣《にくしょくじゅう》もいて、こわいざんす。
だからわいは、なるべく地上《ちじょう》におりたくないってなことで、
ムササビみたいな膜《まく》で
滑空《かっくう》できるようになったんでござんす。

ヒヨケザル

・めったに地上《ちじょう》にはおりない
・木《き》から木《き》へと膜《まく》を使《つか》って滑空《かっくう》する

サルはふつう
木《き》の上《うえ》でくらします
おちつくぜ
だって、地上《ちじょう》には
危険《きけん》がいっぱい
ひぃっ
ガルルル…
地上《ちじょう》がこわくて
空《そら》を飛《と》ぶものもいます
そりゃー!
バッ
遊《あそ》んでいるように見《み》える
サルもいますが
かれらは真剣《しんけん》です
いそげいそげ―

ねん

第《だい》5章《しょう》

能力《のうりょく》がざん

あっとおどろく能力《のうりょく》もありますが、
「ちょっと変《へん》な力《ちから》だなぁ」と
首《くび》をかしげたくなる生《い》き物《もの》たちもいるのです。

パラパラ劇場《げきじょう》

ホオジロガモの
プロポーズの結果《けっか》は？

サクラはまわりの草《くさ》を殺《ころ》す

美《うつく》しく散《ち》るサクラかな

サクラは、日本人《にほんじん》にとって特別《とくべつ》な植物《しょくぶつ》です。たくさんの出会《であ》いや別《わか》れをサクラの花《はな》が彩《いろど》ってくれていることでしょう。

そんな感動《かんどう》シーンのなか、サクラが何《なに》をしているかというと、**根《ね》元《もと》に生《は》える草《くさ》を毒殺《どくさつ》**しています。サクラの葉《は》は木《き》から落《お》ちると、「クマリン」というご当地《とうち》キャラっぽい名前《なまえ》の毒成分《どくせいぶん》をつくり出《だ》します。このクマリンには、ほかの**植物《しょくぶつ》の成長《せいちょう》をおさえ、育《そだ》ちにくくさせる効果《こうか》**があるのです。

つまりサクラは、かれんな花《はな》びらとともに時限式《じげんしき》の毒爆弾《どくばくだん》を投下《とうか》し、**自分《じぶん》のまわりに雑草《ざっそう》が生《は》えないようにしている**のです。

プロフィール

植物《しょくぶつ》

- ■名前《なまえ》　サクラ（ソメイヨシノ）
- ■生息地《せいそくち》　北半球《きたはんきゅう》の温帯域《おんたいいき》
- ■大《おお》きさ　高《たか》さ10m
- ■とくちょう　みつでアリを集《あつ》め、葉《は》を食《た》べる虫《むし》を追《お》い払《はら》ってもらう

Q スズメバチがミツバチとおしくらまんじゅうをするとどうなる？ →答《こた》えは132ページ

アメリカイセエビは集団《しゅうだん》で引《ひ》っ越《こ》し、つかまる

アメリカイセエビは、冬《ふゆ》がやってくると子育《こそだ》てのために、深《ふか》い海《うみ》へ引《ひ》っ越《こ》します。その引《ひ》っ越《こ》し方《かた》は独特《どくとく》で、**7匹《ひき》ほどのエビが一列《いちれつ》にならんで行進《こうしん》**します。何《なん》だか集《しゅう》団下校《だんげこう》みたいです。

さらに歩《ある》くうちに、ほかの列《れつ》と合体《がったい》してどんどんメンバーが増《ふ》えていき、最後《さいご》には**数百匹《すうひゃっぴき》ものエビが一列《いちれつ》になることもある**のだとか。実際《じっさい》に、長《なが》さ約《やく》2kmにもなる大行《だいぎょう》列《れつ》が観察《かんさつ》されたこともあります。

かれらはならんで歩《ある》くことで、自分《じぶん》たちを大《おお》きな生《い》き物《もの》のように見《み》せて身《み》を守《まも》っているそう。しかし、漁師《りょうし》にとっては、**年《ねん》に一度《いちど》のイセエビチャンスの到来《とうらい》**です。

プロフィール

甲殻類《こうかくるい》

■**名前《なまえ》**　アメリカイセエビ
■**生息地《せいそくち》**　大西洋西部《たいせいようせいぶ》の海底《かいてい》
■**大《おお》きさ**　全長《ぜんちょう》45cm
■**とくちょう**　大型種《おおがたしゅ》で、死《し》ぬまで成長《せいちょう》し続《つづ》ける

カクレガニは貝《かい》をコチョコチョくすぐり続《つづ》ける

カクレガニは、その名《な》のとおり**貝《かい》の中《なか》にかくれて生活《せいかつ》しています**。ですが、オスのカニは夜《よる》になると自分《じぶん》の貝《かい》を抜《ぬ》け出《だ》して、メスのすんでいる貝《かい》にやってきます。そして、貝殻《かいがら》の合《あ》わせ目《め》に足《あし》を入《い》れると、**ひたすらコチョコチョとくすぐり続《つづ》ける**のです。

数時間後《すうじかんご》、緊張《きんちょう》のほぐれた貝《かい》はたまらず口《くち》を開《ひら》き、オスはめでたく中《なか》にいるメスと結《むす》ばれます。

いっけんロマンチックな話《はなし》に思《おも》えますが、これを人間《にんげん》に置《お》きかえると、**夜中《よなか》に見知《みし》らぬ男《おとこ》が玄関《げんかん》のカギ穴《あな》を何時間《なんじかん》もガチャガチャやっているのと同《おな》じ**であり、恐怖《きょうふ》でしかありません。

プロフィール

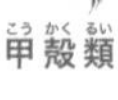
甲殻類《こうかくるい》

- **名前《なまえ》** カクレガニ
- **生息地《せいそくち》** ニュージーランドの湾内《わんない》や岸壁《がんぺき》
- **大《おお》きさ** こうらのはば1㎝
- **とくちょう** 貝《かい》の中《なか》にかくれて、貝《かい》の食《た》べ物《もの》のプランクトンを横取《よこど》りする

A 130ページの答《こた》え→ 体温《たいおん》が上《あ》がりすぎて死《し》ぬ

ざんねん度《ど》

タチヨタカの必殺技《ひっさつわざ》は、変顔《へんがお》

タチヨタカは、ジャングルにすむ夜行性《やこうせい》の鳥《とり》。夜《よる》になると、大《おお》きな口《くち》をパカリと開《あ》けたまま、木《き》から木《き》へと飛《と》び回《まわ》ります。まるで水《すい》中《ちゅう》の魚《さかな》を網《あみ》ですくうように、**飛《と》んでいる虫《むし》を口《くち》の中《なか》に放《ほう》りこんで食《た》べる**のです。

いっぽうで、昼間《ひるま》は**じっと木《き》のモノマネをしています**。体《からだ》を細《ほそ》くしたままたたずむことで、敵《てき》に見《み》つからないようにしているのです。

それでもサルやタカなどの天敵《てんてき》に見《み》つかってしまったときは、本《ほん》気《き》モードに突入《とつにゅう》。大《おお》きな目《め》をカッと見開《みひら》き、**全力《ぜんりょく》で変顔《へんがお》をおみまい**します。その強烈《きょうれつ》な顔《かお》に、敵《てき》はおそれをなして逃《に》げていくとか。

プロフィール

鳥類《ちょうるい》

■**名前《なまえ》**　ハイイロタチヨタカ

■**生息地《せいそくち》**　中央《ちゅうおう》〜南《みなみ》アメリカの熱帯乾《ねったいかん》燥林《そうりん》

■**大《おお》きさ**　全長《ぜんちょう》38㎝

■**とくちょう**　木《き》の切《き》り株《かぶ》に卵《たまご》をうみ、夫《ふう》婦《ふ》で1羽《わ》のヒナを育《そだ》てる

カリフォルニアナマコはおしりで戦《たたか》い、呼吸《こきゅう》し、食事《しょくじ》をする

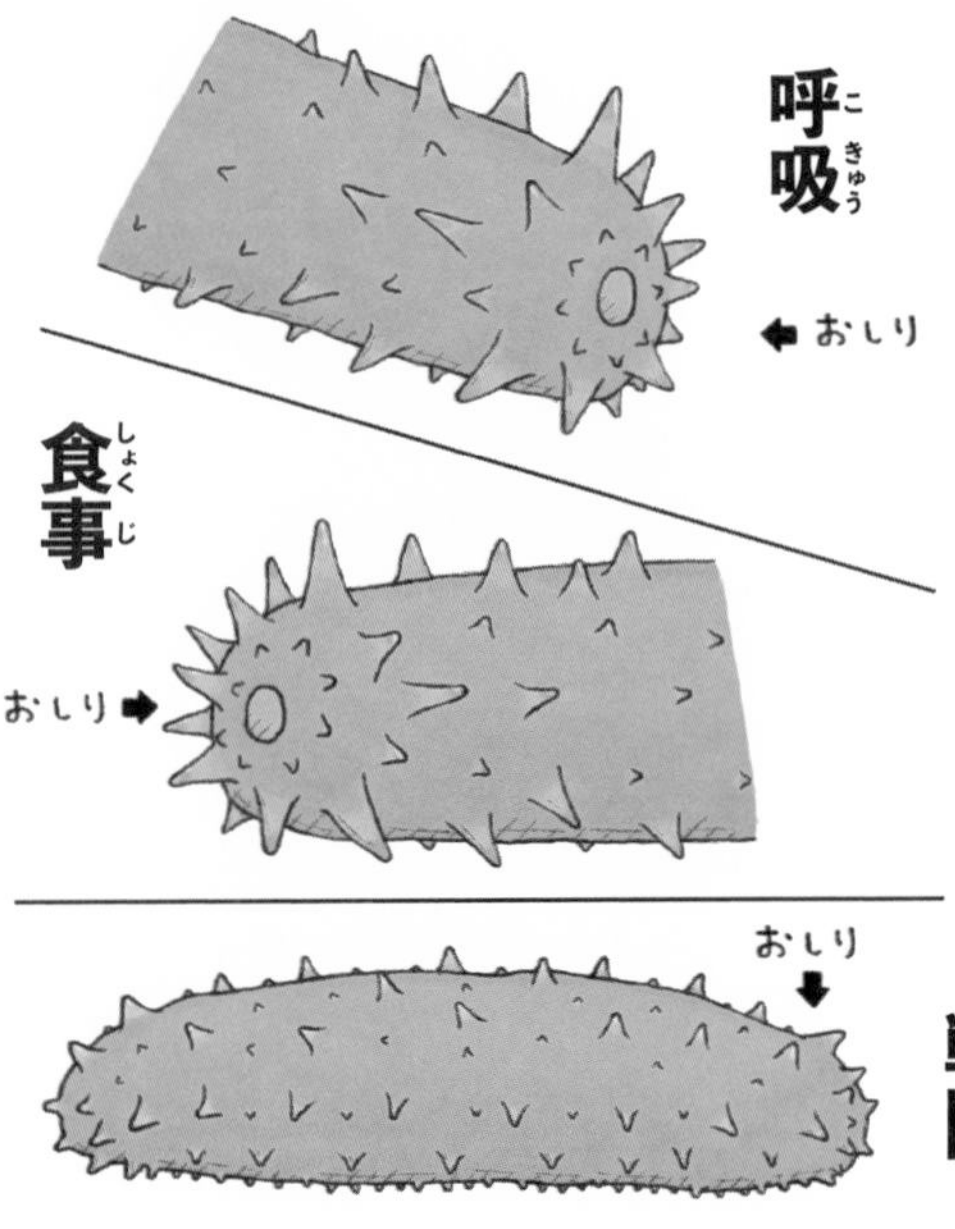

カリフォルニアナマコは、**「おしりとは何《なに》か？」**という哲学的《てつがくてき》な問《と》いをわたしたちにつきつけます。

もちろん、うんこは出《だ》します。でも、**内臓《ないぞう》も出《で》ちゃいます。**カニや魚《さかな》などの敵《てき》がくると、おしりから腸《ちょう》や白《しろ》い糸状《いとじょう》の管《くだ》を出《だ》して、敵《てき》の動《うご》きをじゃますするのです。

さらに、ちゃんとした口《くち》があるのに、**おしりで呼吸《こきゅう》と食事《しょくじ》もします。**おしりから海水《かいすい》をとりこんで、体《からだ》の中《なか》にあるチューブのような器官《きかん》で酸素《さんそ》を吸《す》いこむのです。そのついでに、海水《かいすい》から小《ちい》さな食《た》べ物《もの》もとりこんでいます。

おしりさえあれば生《い》きていける。それがカルフォルニアナマコです。

プロフィール

ナマコ類《るい》

■ **名前《なまえ》** カリフォルニアナマコ
■ **生息地《せいそくち》** アラスカ湾《わん》からカリフォルニア湾《わん》の海《うみ》
■ **大《おお》きさ** 全長《ぜんちょう》50㎝
■ **とくちょう** 浅瀬《あさせ》から深海《しんかい》までさまざまな深《ふか》さの海《うみ》でくらす

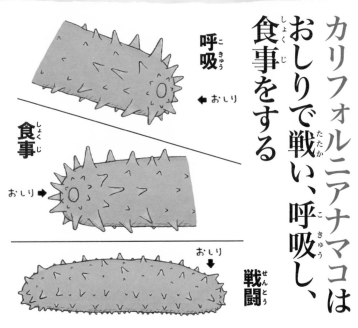

ショウジョウバエのメスはモテすぎると、オスのふりをする

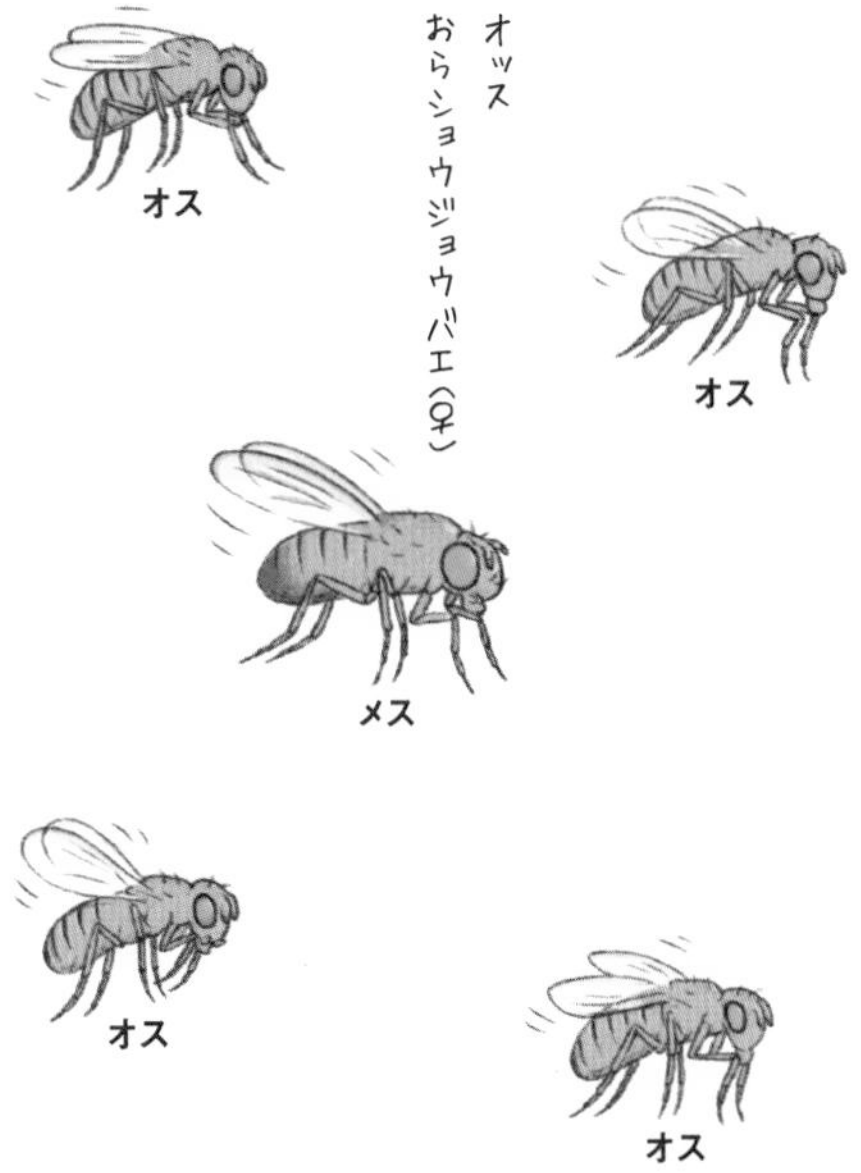

「たで食《く》う虫《むし》も好《す》き好《ず》き」ということわざがあるように、好《この》みは人《ひと》によって違《ちが》います。でも、メスのショウジョウバエがモテる条件《じょうけん》ははっきりしています。それは、**体《からだ》がデカいこと**。体《からだ》が大《おお》きいほど、たくさんの卵《たまご》をうめるからです。

しかし、モテすぎるのもつらいもの。モテるメスには、**オスがわんさかむらがります**。そのせいで、食《た》べ物《もの》を探《さが》しに行《い》けなくなったり、出産《しゅっさん》をじゃまされたりもするそう。

そこでモテるメスは、一度《いちど》交尾《こうび》をすませると、**男《おとこ》くさいにおいを出《だ》してオスのふりをする**ことにしました。こうして、しつこい男《おとこ》たちから逃《に》げるという作戦《さくせん》です。

プロフィール

昆虫類《こんちゅうるい》

- **名前《なまえ》**　キイロショウジョウバエ
- **生息地《せいそくち》**　日本各地《にほんかくち》の街中《まちなか》など
- **大《おお》きさ**　体長《たいちょう》2㎜
- **とくちょう**　卵《たまご》からわずか10日《か》ほどで成虫《せいちゅう》になる

アメリカヤマシギはのろのろ飛《と》んで愛《あい》を伝《つた》える

アメリカヤマシギのオスは、歩《ある》き方《かた》も飛《と》び方《かた》もかなり個性的《こせいてき》。

ふつう鳥《とり》が地上《ちじょう》を歩《ある》くときは、肉食動物《にくしょくどうぶつ》につかまらないように早《はや》足《あし》でかけぬけます。しかし、かれらは**一歩《いっぽ》進《すす》むごとにおしりをふりふり。**ラッパーのように体《からだ》をリズミカルにゆらしながら歩《ある》きます。

さらに夕方《ゆうがた》になると、**くねくねと方向《ほうこう》を変《か》えながらゆっくり空《そら》を飛《と》びます。**これは「スカイダンス」といい、オスがメスに愛《あい》を告白《こくはく》するときに見《み》せる行動《こうどう》です。

その飛行速度《ひこうそくど》は時速《じそく》8㎞。世界《せかい》でいちばん飛《と》ぶのがおそい鳥《とり》といわれ、人間《にんげん》の子《こ》どもでも**小走《こばし》りすれば追《お》いつけてしまいます。**

プロフィール

鳥類《ちょうるい》

■**名前《なまえ》** アメリカヤマシギ
■**生息地《せいそくち》** 北《きた》アメリカ大陸《たいりく》の東部《とうぶ》の森林《しんりん》
■**大《おお》きさ** 全長《ぜんちょう》30㎝
■**とくちょう** 毎日体重《たいじゅう》と同《おな》じくらいの量《りょう》のミミズを食《た》べる

A 134ページの答《こた》え→ うんこ

ざんねん度《ど》

アメンボは オレンジジュースにはしずむ

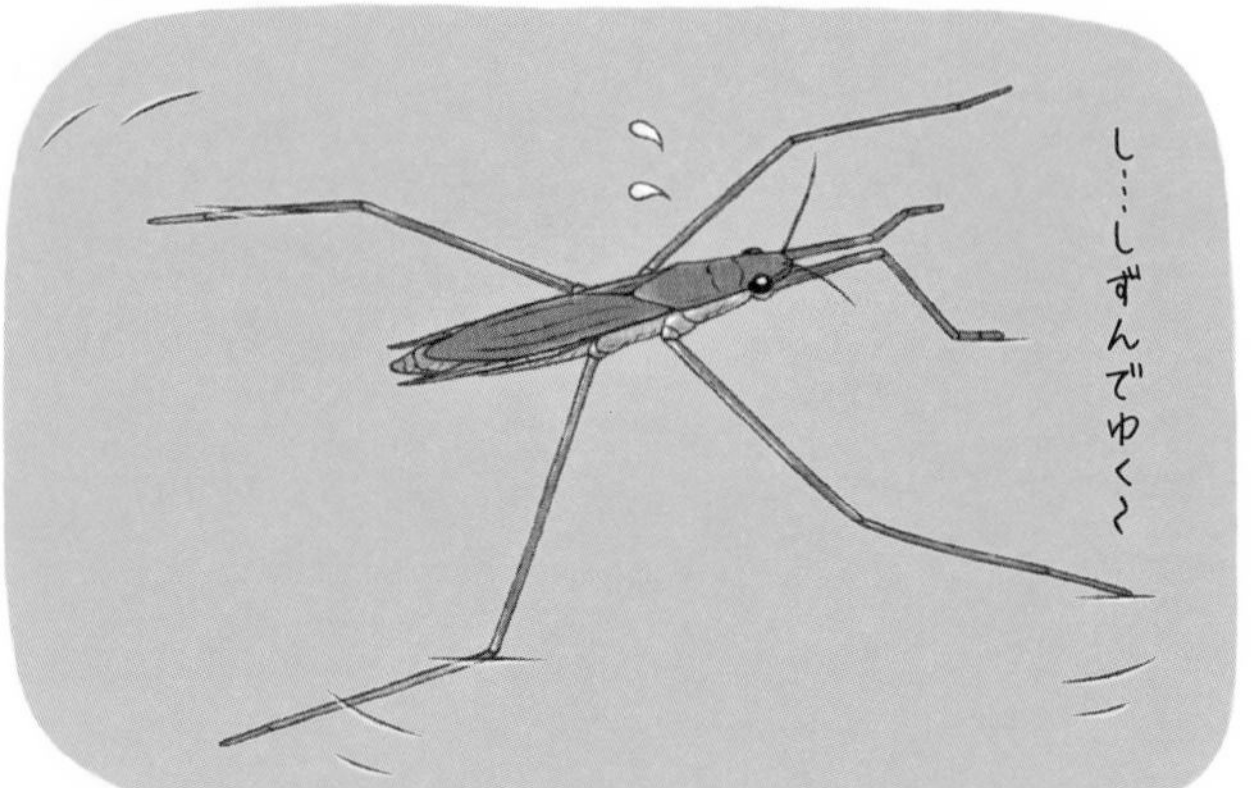

コップに入《い》れた水《みず》の上《うえ》に油《あぶら》を1滴《てき》たらすと、どうなるでしょうか。油《あぶら》は水《みず》と混《ま》ざらず、玉《たま》になって表面《ひょうめん》に浮《う》くはずです。

アメンボが水《みず》に浮《う》くのも、これと同《おな》じ。かれらの足《あし》には細《こま》かい毛《け》が生《は》えていて、その**毛《け》には油《あぶら》がついています**。そのため、水《みず》の表面《ひょうめん》をスイスイ歩《ある》けるのです。

ところが、**オレンジジュースだと、たちまちしずんでしまいます**。これはオレンジジュースの表《ひょう》面《めん》にできる力《ちから》が水《みず》よりも弱《よわ》いうえ、オレンジジュースが足《あし》の油《あぶら》を溶《と》かしてしまうから。

さらには、**洗剤《せんざい》を溶《と》かした水《みず》もNG《エヌジー》**のようです。

プロフィール

昆虫類《こんちゅうるい》

- ■**名前《なまえ》**　アメンボ
- ■**生息地《せいそくち》**　北海道《ほっかいどう》から沖縄《おきなわ》の池《いけ》や沼《ぬま》
- ■**大《おお》きさ**　体長《たいちょう》1.4㎝
- ■**とくちょう**　刺激《しげき》をあたえるとアメのようなにおいを出《だ》す

ウコンハネガイは体《からだ》を光《ひか》らせてまで自分《じぶん》のまずさをアピールする

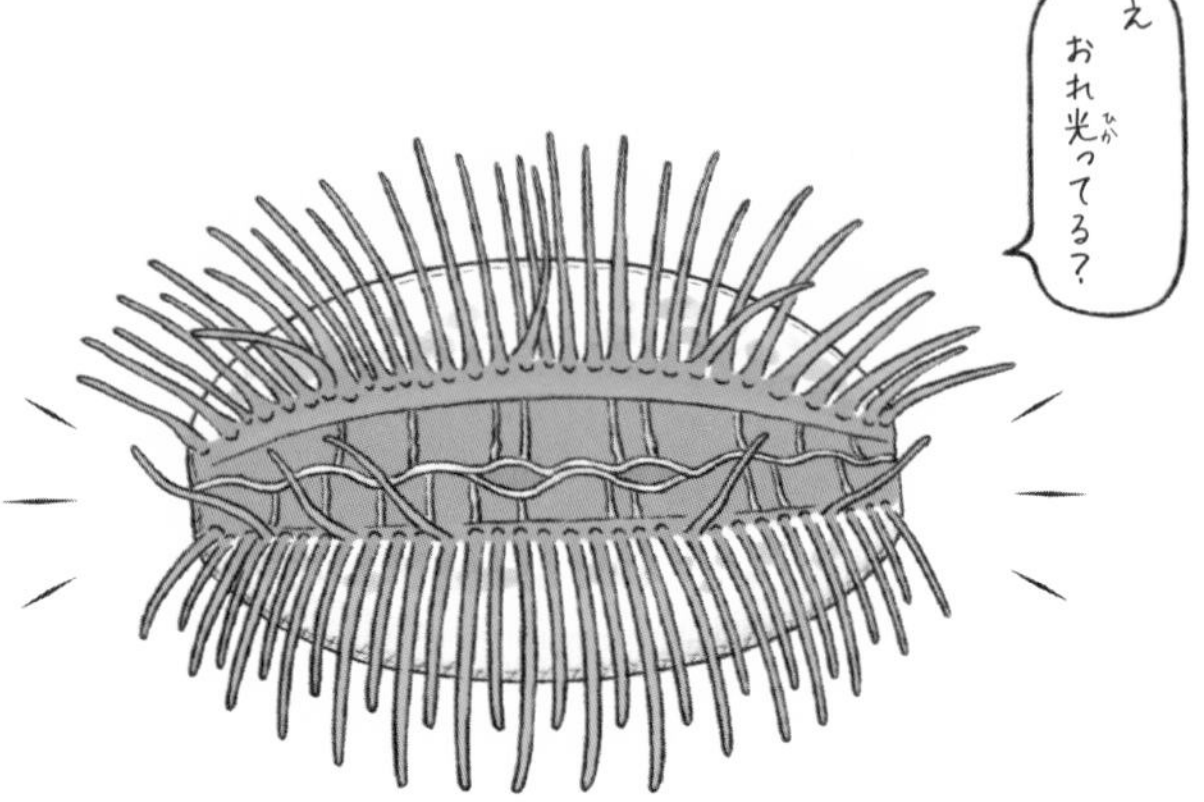

ヘビやカエルなどには、赤《あか》や黄《き》色《いろ》など派手《はで》な色《いろ》をしているものがいます。これは「警告色《けいこくしょく》」といって、自分《じぶん》が強力《きょうりょく》な毒《どく》をもっていることを色《いろ》で知《し》らせ、敵《てき》を近《ちか》づかせないようにしているのです。

同《おな》じように、ウコンハネガイも敵《てき》をいかくします。しかしかれらが使《つか》うのは、色《いろ》ではなく光《ひかり》。**体《からだ》をピカピカと光《ひか》らせて、敵《てき》に自分《じぶん》のやばさをアピールする**のです。

でも、毒《どく》はもっていません。何《なに》がやばいのかというと、味《あじ》です。**身《み》が死《し》ぬほどまずい**のです。そのまずさは、シャコが少《すこ》し触《ふ》れただけで、**あとずさりして口《くち》をぬぐったまま動《うご》かなくなる**ほどだとか。

プロフィール

二枚貝類《にまいがいるい》

- **名前《なまえ》** ウコンハネガイ
- **生息地《せいそくち》** 西大平洋熱帯域《にしたいへいようねったいいき》の海《うみ》
- **大《おお》きさ** 体長《たいちょう》7㎝
- **とくちょう** 雷《かみなり》が光《ひか》っているようにも見《み》えるのでイナズマガイともいう

Q イバリシメジは何《なん》の上《うえ》に生《は》える？ →答《こた》えは140ページ

モクメシャチホコの幼虫《ようちゅう》は「顔《かお》はめパネル」で身《み》を守《まも》る

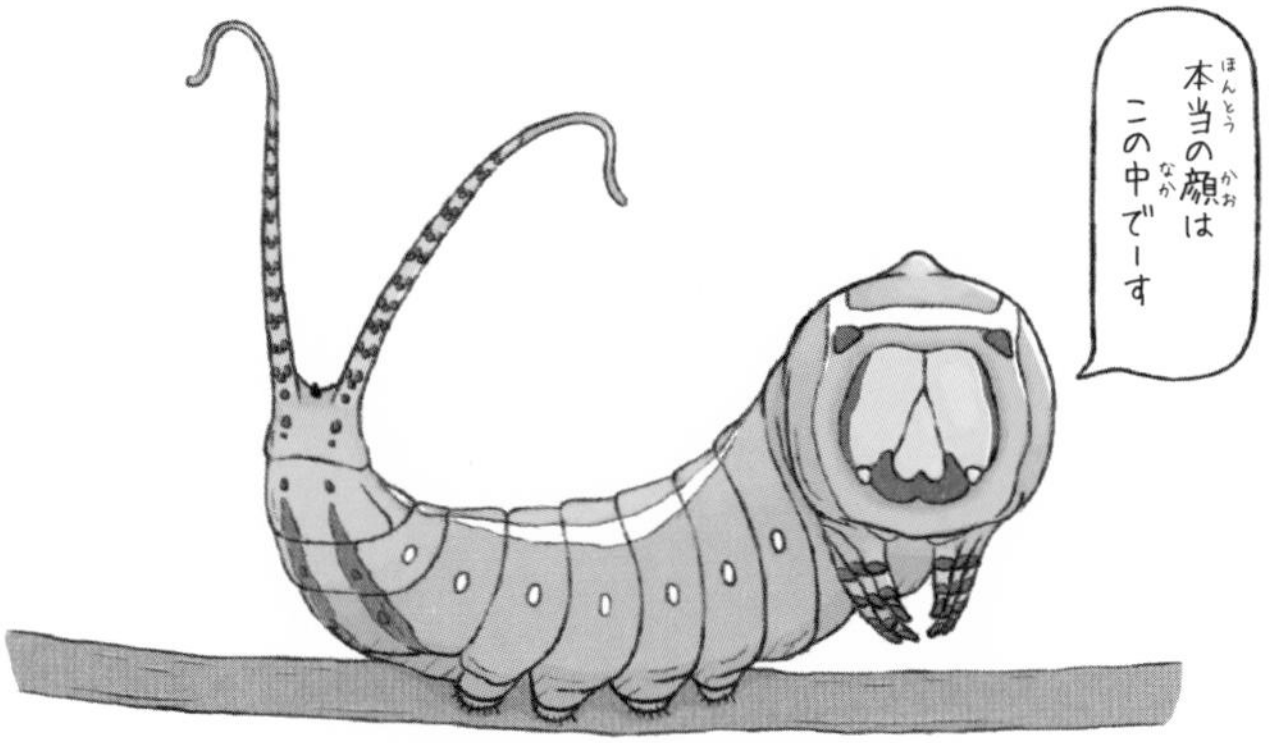

モクメシャチホコは、木目《もくめ》のような模様《もよう》の羽《はね》で、林《はやし》や森《もり》の風景《ふうけい》にとけこんで身《み》を守《まも》るガのなかま。しかし、幼虫《ようちゅう》のときは**頭《あたま》のまわりがショッキングピンク**に輝《かがや》いていて、かなり目立《めだ》つ色《いろ》をしています。

そこで思《おも》いついたのが、にせものの顔《かお》でおどろかす方法《ほうほう》。敵《てき》が近《ちか》づくと、体《からだ》を起《お》こして頭《あたま》をつき出《だ》します。すると、頭《あたま》のうしろにある2つの黒《くろ》い丸《まる》が目《め》のように、ピンクの円《えん》が口《くち》のように見《み》えて、まるで**大口《おおぐち》を開《あ》けたヘビがにらんでいるよう。**

人間《にんげん》でいえば、**エイリアンの顔《かお》はめパネルでビビらせるのと同《おな》じ**ようなものですが、効果《こうか》があるかどうかはわかっていません。

プロフィール

昆虫類《こんちゅうるい》

- **名前《なまえ》**　モクメシャチホコ
- **生息地《せいそくち》**　北海道《ほっかいどう》から本州《ほんしゅう》の森林《しんりん》など
- **大《おお》きさ**　体長《たいちょう》6cm（幼虫）
- **とくちょう**　幼虫《ようちゅう》は、ヤナギやポプラの葉《は》を食《た》べる

トピのオスはお見《み》合《あ》いで負《ま》けるとみじめ

トピは、ウマっぽい外見《がいけん》をしていますがウシのなかまです。ふだんはオスとメスがそれぞれ10頭《とう》ほどいる小《ちい》さなむれでくらしていますが、年《ねん》に一度《いちど》、雨季《うき》になると**500頭《とう》を超《こ》える大集団《だいしゅうだん》となり、お見《み》合《あ》いパーティー**を開催します。

この集団《しゅうだん》お見《み》合《あ》いでは、オスたちが追《お》いかけっこをして体力《たいりょく》があるところをメスにアピールします。さらに盛《も》り上《あ》がってくると、**オスは角《つの》をつき合《あ》わせて、すもうで勝負《しょうぶ》**を始《はじ》めます。

勝《か》ったオスは、むれの中心《ちゅうしん》に入《はい》り、ほとんどのメスを手《て》に入《い》れますが、負《ま》けたオスは、**むれの外側《そとがわ》で壁役《かべやく》**となり、ときに肉食獣《にくしょくじゅう》におそわれ命《いのち》を落《お》とすことになります。

プロフィール

ほ乳類《にゅうるい》

■名前《なまえ》　トピ(別名《べつめい》ダマリスクス)
■生息地《せいそくち》　アフリカ中央部《ちゅうおうぶ》から南部《なんぶ》のサバンナや林《はやし》
■大《おお》きさ　体長《たいちょう》1.8m
■とくちょう　ほかの草食動物《そうしょくどうぶつ》のむれにまぎれこむこともある

カツオクジラの食事《しょくじ》はお行儀《ぎょうぎ》が悪《わる》い

人間《にんげん》の親《おや》は「ごはんはすわって食《た》べなさい」といいますが、カツオクジラの親《おや》は**水中《すいちゅう》に立《た》って魚《さかな》を食《た》べる方法《ほうほう》**を子《こ》どもに教《おし》えます。

これは水面近《すいめんちか》くにいる小魚《こざかな》を一度《いちど》にたくさん食《た》べるためにあみ出《だ》された技《わざ》。海面《かいめん》に顔《かお》をつき出《だ》して、ガバッと口《くち》を90度《ど》に開《ひら》きます。その姿勢《しせい》のまま、尾《お》ビレで立《た》ち泳《およ》ぎを数分間続《すうふんかんつづ》け、**下《した》あごの中《なか》にたくさんの小魚《こざかな》が入《はい》ってくるのを待《ま》つ**のです。

そううまく口《くち》に入《はい》らなそうな気《き》もしますが、下《した》あごを水中《すいちゅう》にしずめると**水流《すいりゅう》が生《う》まれて、小魚《こざかな》が吸《す》いこまれていく**とか。まさにブラックホールです。

プロフィール

ほ乳類《にゅうるい》

■**名前《なまえ》**　カツオクジラ
■**生息地《せいそくち》**　世界《せかい》の温暖《おんだん》な海《うみ》
■**大《おお》きさ**　全長《ぜんちょう》14m
■**とくちょう**　立《た》ったまま食事《しょくじ》をするのはタイ湾《わん》のものだけ

Q ラフレシアの花《はな》からはどんなにおいがする？ →答《こた》えは144ページ

コオロギは「出《で》ていけソング」を歌《うた》ってほかのオスを追《お》いはらう

コオロギの鳴《な》き声《ごえ》は秋《あき》の風物《ふうぶつ》詩《し》。「リリリリリ……」という涼《すず》しげで美《うつく》しい鳴《な》き声《ごえ》が、聴《き》く人《ひと》の心《こころ》をおだやかにしてくれます。

ところで、鳴《な》いているのはオスのコオロギで、この「歌《うた》」には**3つのパターンがある**のを知《し》っていましたか？　1つ目《め》は、遠《とお》くにいるメスを呼《よ》ぶための**「おいでおいでソング」**。2つ目《め》は、近《ちか》くにきたメスにプロポーズするときの**「大好《だいす》きソング」**。そして最後《さいご》が、別《べつ》のオスや敵《てき》とケンカするときの**「出《で》ていけソング」**です。

人間《にんげん》が聴《き》くと**どれも心《こころ》があらわますが**、コオロギは怒《おこ》っているのかもしれません。

プロフィール

昆虫類《こんちゅうるい》

■**名前《なまえ》**　エンマコオロギ
■**生息地《せいそくち》**　北海道《ほっかいどう》から九州《きゅうしゅう》の畑《はたけ》や草《そう》原《げん》
■**大《おお》きさ**　体長《たいちょう》3㎝
■**とくちょう**　雑食性《ざっしょくせい》で、植物《しょくぶつ》や昆虫《こんちゅう》の死《し》がいなど何《なん》でも食《た》べる

カブトムシはモンシロチョウより飛《と》ぶのがおそい

よろ
かっこいいイメージで
うっているのに……
よろ

黒光《くろびか》りする体《からだ》に大《おお》きな角《つの》をもち、**「雑木林《ぞうきばやし》の王者《おうじゃ》」の名《な》をほしいままにする**カブトムシ。林《はやし》にあるえさ場《ば》では、ほかの虫《むし》たちをおしのけて、クヌギやコナラの樹液《じゅえき》をガブガブと飲《の》んでいます。

強《つよ》さのひみつは、やはりその大《おお》きな体《からだ》。ライバルのノコギリクワガタの体重《たいじゅう》が2gなのに対《たい》して、**カブトムシのオスは最大《さいだい》10g**。もはや、勝負《しょうぶ》にもなりません。

ただし、体《からだ》が重《おも》すぎて、飛《と》ぶのはものすごく苦手《にがて》なよう。**1秒間《びょうかん》に進《すす》める距離《きょり》は2〜3mでモンシロチョウよりもおそい**のです。あと、昼間《ひるま》に太陽《たいよう》の光《ひかり》に直接《ちょくせつ》当《あ》たると**体《からだ》が熱《あつ》くなりすぎて死《し》にます**。

プロフィール

昆虫類《こんちゅうるい》

- ■名前《なまえ》　カブトムシ
- ■生息地《せいそくち》　日本《にほん》、朝鮮半島《ちょうせんはんとう》、中国《ちゅうごく》、インドシナ半島《はんとう》などの林《はやし》
- ■大《おお》きさ　体長《たいちょう》4cm（角《つの》をのぞく）
- ■とくちょう　2枚《まい》のかたい前羽《まえばね》と、2枚《まい》のうすいうしろ羽《ばね》をもつ

A 142ページの答《こた》え→　くさった肉《にく》のにおい

ホオジロガモはプロポーズのとき顔《かお》をそむける

なんか
うそっぽいのよね
好《す》きだ！

人間《にんげん》の男性《だんせい》は、プロポーズのとき ロマンチックな場面《ばめん》を用意《ようい》することがあります。**女性《じょせい》の理性《りせい》をマヒさせて成功率《せいこうりつ》を上《あ》げる**のですが、同《おな》じ手《て》を使《つか》う生《い》き物《もの》はほかにもいます。たとえば、クジャクは美《うつく》しい羽《はね》を広《ひろ》げてダンスをおどりますし、糸《いと》でラッピングした虫《むし》をプレゼントするクモもいます。

そして、ホオジロガモのオスは**「ブリッジしながら告白《こくはく》したらかっこいい」**と考《かんが》えました。1羽《わ》のメスのまわりに2～3羽《わ》のオスが集《あつ》まると、全員真剣《ぜんいんしんけん》にブリッジ。だれもメスに顔《かお》をむけません。

メスはその中《なか》から**イイ感《かん》じのブリッジをしたオスを選《えら》びます。**

プロフィール

鳥類《ちょうるい》

■**名前《なまえ》**　ホオジロガモ
■**生息地《せいそくち》**　北半球《きたはんきゅう》の水辺《みずべ》
■**大《おお》きさ**　全長《ぜんちょう》45㎝
■**とくちょう**　名前《なまえ》の由来《ゆらい》でもある白《しろ》いほおをもつのはオスだけ

スッポンは口《くち》からおしっこをする

は虫類《ちゅうるい》は、おしり（総排泄腔《そうはいせつこう》）からおしっこをします。しかし、中国《ちゅうごく》に生息《せいそく》するスッポンは、**口《くち》からおしっこをする**というのです。

かれらは川《かわ》の中《なか》でも海《うみ》に近《ちか》い、海水《かいすい》の混《ま》ざった場所《ばしょ》にすんでいます。そのため、水《みず》を飲《の》むと、**たくさんの塩《しお》もいっしょにのみこんで体《からだ》をこわしてしまう**のです。

そこであみ出《だ》されたのが、**口《くち》をすすいで尿素《※にょうそ》を外《そと》に出《だ》す技《わざ》**。おしりからおしっこをすると、たくさん水分《すいぶん》が出《で》て、そのぶん水《みず》を飲《の》まなくてはいけません。なので、口《くち》から体《からだ》にたまったカスを出《だ》すのですが、味《あじ》はしないのか聞《き》いてみたいところです。

※おしっこに多《おお》く含《ふく》まれる物質《ぶっしつ》

プロフィール

は虫類《ちゅうるい》

- **名前《なまえ》** スッポン
- **生息地《せいそくち》** 日本《にほん》、朝鮮半島《ちょうせんはんとう》、中国《ちゅうごく》、東南《とうなん》アジアの川《かわ》や池《いけ》
- **大《おお》きさ** こうらのはば39cm
- **とくちょう** 鼻《はな》と首《くび》が長《なが》く、水上《すいじょう》につき出《だ》して呼吸《こきゅう》をする

Q アシナシイモリの子《こ》どもの食《た》べ物《もの》は？

→答《こた》えは148ページ

ドジョウはおならが止《と》まらない

スッポンは口《くち》からおしっこをします（右《みぎ》ページ）が、ドジョウは**おしりの穴《あな》から空気《くうき》を吸《す》います。**もう勝手《かって》にすればいいと思《おも》いますが、めげずに説明《せつめい》しましょう。

ドジョウはふだん、水《みず》の中《なか》で息《いき》をしています。しかし、池《いけ》や川《かわ》の中《なか》の空気《くうき》が足《た》りなくなると、**水面《すいめん》から顔《かお》を出《だ》して口《くち》をパクパクと動《うご》かし、地上《ちじょう》の空気《くうき》をのみこむ**のです。のみこんだ空気《くうき》は腸《ちょう》（おしりの穴《あな》）から吸収《きゅうしゅう》され、あまったガスは、**おならとしてボコボコと水《みず》の中《なか》にとき放《はな》たれます。**

いかんせん、そのせいで水面《すいめん》に泡《あわ》が浮《う》かぶため、どこにいるか、すぐにばれてしまいます。

プロフィール

硬骨魚類《こうこつぎょるい》

- **名前《なまえ》**　ドジョウ
- **生息地《せいそくち》**　日本《にほん》、東《ひがし》アジアの川《かわ》や水田《すいでん》
- **大《おお》きさ**　全長《ぜんちょう》20㎝
- **とくちょう**　特徴的《とくちょうてき》な口《くち》ヒゲは全部《ぜんぶ》で10本《ぽん》ある

フクロテナガザルはわざわざデュエットして愛《あい》を確《たし》かめる

森《もり》の木《き》の上《うえ》で生活《せいかつ》しているフクロテナガザルは歌《うた》でコミュニケーションをとります。それも**1匹《ぴき》ではなく、夫婦《ふうふ》で歌《うた》う**のです。

夫婦《ふうふ》のデュエットには、ちゃんとパート分《わ》けがあります。**メスが「グレートコール」**とよばれる鳴《な》き声《ごえ》を出《だ》すと、すかさず**オスが「コーダ」**とよばれる鳴《な》き声《ごえ》を出《だ》してこたえるのです。

この歌《うた》は、自分《じぶん》たちのなわばりをアピールする意味《いみ》があるほか、**夫婦《ふうふ》の愛《あい》を確《たし》かめ合《あ》うことにも役《やく》立《だ》っている**ようです。愛知県《あいちけん》の東《ひがし》山動植物園《やまどうしょくぶつえん》には「アアーッ!」とおっさんのような声《こえ》で鳴《な》くオスがいて、人気者《にんきもの》となっています。

プロフィール

ほ乳類《にゅうるい》

- **名前《なまえ》** フクロテナガザル
- **生息地《せいそくち》** マレー半島《はんとう》、スマトラ島《とう》の森《しん》林《りん》
- **大《おお》きさ** 体長《たいちょう》1m
- **とくちょう** のど袋《ぶくろ》をふくらませて声《こえ》を出《だ》し、3〜4km先《さき》まで届《とど》く

A 146ページの答《こた》え→ お母《かあ》さんのアカ

シマウマの鳴《な》き声《ごえ》はワンワン

ウマの鳴《な》き声《ごえ》といえば「ヒヒーン」を思《おも》いうかべると思《おも》いますが、これは遠《とお》くにいるなかまを呼《よ》ぶときの声《こえ》です。ケンカをしたり緊張《きんちょう》したりしたときは、「キュイーン」と高《たか》い声《こえ》で鳴《な》きます。

ウマによく似《に》たシマウマも、当《とう》然《ぜん》同《おな》じような鳴《な》き声《ごえ》だろうと思《おも》いきや、かれらはなぜか**「ワンワン」とイヌのように鳴《な》きます。**

ほかにも、**キリンの鳴《な》き声《ごえ》は「モー」**でウシみたいですし、**コアラは低《ひく》い声《こえ》で「グルルル」**とトラのように鳴《な》き、**シロサイは子《こ》ネコのように「ミャアー」**と鳴《な》きます。見《み》た目《め》と声《こえ》のギャップがある生《い》き物《もの》は案外《あんがい》多《おお》いようです。

プロフィール

ほ乳類《にゅうるい》

■名前《なまえ》　サバンナシマウマ
■生息地《せいそくち》　アフリカ東部《とうぶ》～南部《なんぶ》のサバンナや森林《しんりん》
■大《おお》きさ　体長《たいちょう》2.3m
■とくちょう　しま模様《もよう》は人間《にんげん》の指紋《しもん》のように1頭《とう》1頭《とう》異《こと》なる

コケはどんどんまずくなった

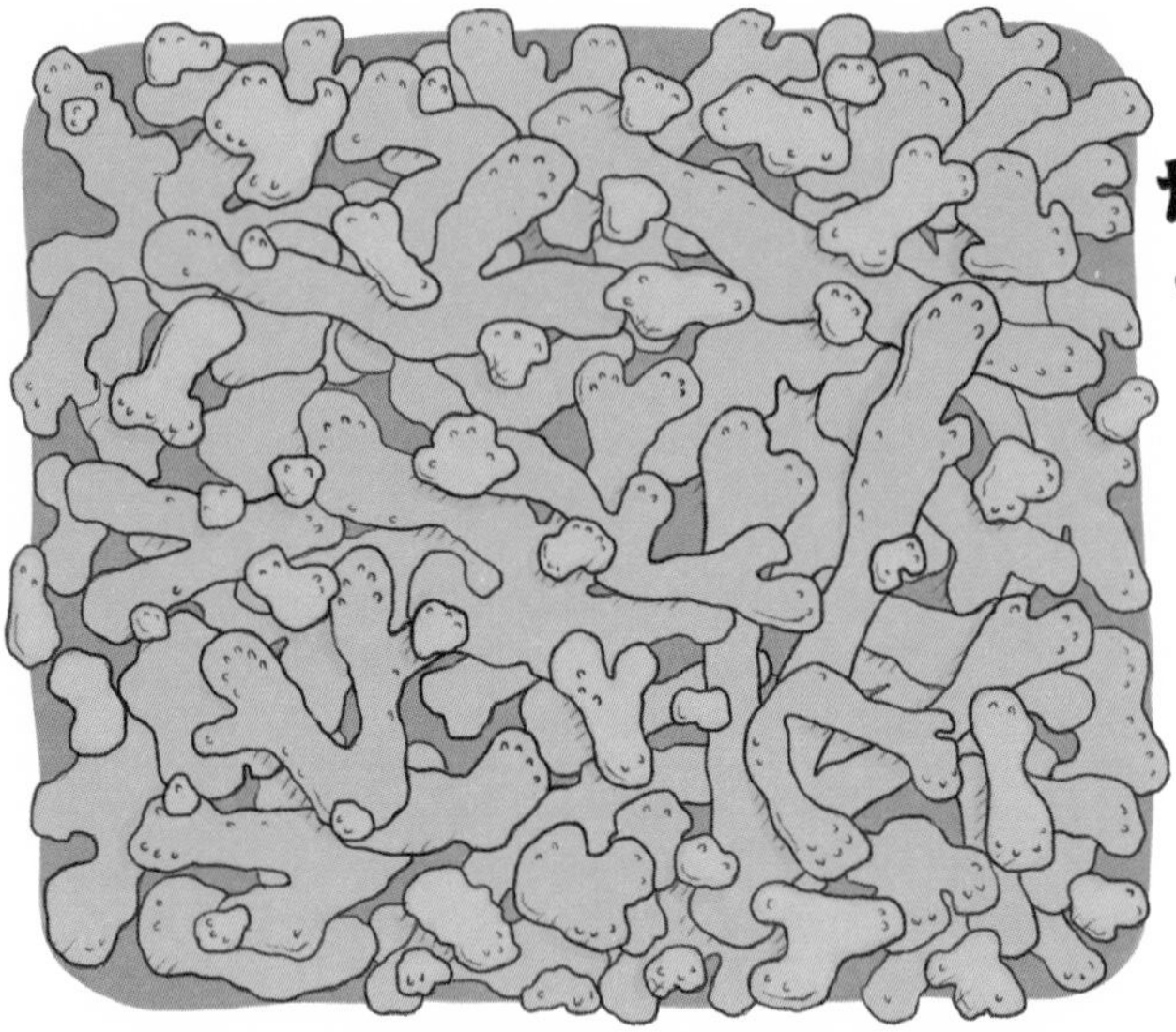

だって

食《た》べられるのはいやだもの

植物《しょくぶつ》が美《うつく》しい花《はな》や実《み》をつけるのは、**動物《どうぶつ》に食《た》べてもらうため**です。みつや実《み》を食《た》べにきた動物《どうぶつ》に、花《か》粉《ふん》や種《たね》を運《はこ》んでもらうことで、植《しょく》物《ぶつ》はたくさんの子《こ》どもを残《のこ》せます。

いっぽう、ジャゴケは自分《じぶん》の力《ちから》で子《こ》どもをつくれます。だから、自分《じぶん》を食《た》べる動物《どうぶつ》はただの敵《てき》。そこでかれらは、**長《なが》い時間《じかん》をかけてひたすらまずくなりました。**苦《にが》くてからい化学物質《かがくぶっしつ》を体《からだ》の中《なか》に蓄《たくわ》え、食《た》べられないようにしたのです。

しかし、そんなジャゴケの努力《どりょく》を無《む》にする生《い》き物《もの》がいました。人《にん》間《げん》です。**うすく切《き》って揚《あ》げたり、酢《す》のものにしたり**と、食欲《しょくよく》おうせいな人間《にんげん》にはきっとお手上《てあ》げです。

プロフィール

植物《しょくぶつ》

■名前《なまえ》　ジャゴケ
■生息地《せいそくち》　世界中《せかいじゅう》のおもにしめった環《かん》境《きょう》
■大《おお》きさ　高《たか》さ数《すう》cm
■とくちょう　手《て》でもむと、マツタケのようなにおいがする

Q ライオンの前《まえ》で巨大《きょだい》ネコじゃらしを振《ふ》るとどうなる？ →答《こた》えは156ページ

ウシは1日中《にちじゅう》モグモグしなくてはならない

モグモグしているウシを見《み》ると、「草食《くさく》ってりゃいいなんて気《き》楽《らく》だよな」と思《おも》ってしまいますが、**じつは意外《いがい》に大変《たいへん》です。**

草《くさ》はセルロースというかたい繊《せん》維《い》でできていて、消化《しょうか》に時間《じかん》がかかります。そのため、ウシは**胃袋《いぶくろ》が4つにわかれ、少《すこ》しずつ草《くさ》を溶《と》かしている**のです。さらに、のみこんだ草《くさ》を口《くち》の中《なか》にはき出《だ》し、もう一度《いちど》かみ直《なお》します。ちょっとくせの強《つよ》い食《た》べ方《かた》ですが、これで草《くさ》がよりやわらかくなるのです。

しかし、この作業《さぎょう》は**1回《かい》の食事《しょくじ》につき4~9時《じ》間《かん》かかります。**そのため、ウシは寝《ね》ている間《あいだ》もモグモグし続《つづ》けなければなりません。

プロフィール

ほ乳類《にゅうるい》

■名前《なまえ》　ウシ
■生息地《せいそくち》　世界中《せかいじゅう》で家《か》ちくとして飼《か》われている
■大《おお》きさ　体高《たいこう》1.4m
■とくちょう　世界中《せかいじゅう》で約《やく》14億頭《おくとう》以上《いじょう》が飼育《しいく》されている

ざんねんな本能《ほんのう》くらべ

生《い》き物《もの》は、生《い》き残《のこ》って子孫《しそん》を残《のこ》すために
さまざまな本能《ほんのう》をもちました。
今《いま》では何《なん》のためにある能力《のうりょく》か、よくわからないものもあり
ちょっとふしぎに見《み》えたりします。
どんな本能《ほんのう》があるのか、くらべてみましょう！

File01　アメリカアカガエル

冬《ふゆ》になると、全身《ぜんしん》こおらずにいられない

カキーン
忍法カチカチの術!

寒《さむ》い地域《ちいき》にすんでいて、冬《ふゆ》になると全身《ぜんしん》がこおって心臓《しんぞう》まで止《と》まります。こうすることで、きびしい冬《ふゆ》を乗《の》りこえるのです。

File02　ネコ

箱《はこ》を見《み》ると、入《はい》らずにいられない

なぜ入るかって？
そこに箱が
あったからさ

ネコは野生時代《やせいじだい》には、敵《てき》におそわれないように木《き》の穴《あな》やしげみなど、せまいところで寝《ね》ていたといいます。今《いま》でもせまいところを見《み》ると入《はい》らずにはいられません。

File03　セッカ

アクロバットにならずにいられない

セッカは敵《てき》におそわれないように、アシなどの植物《しょくぶつ》のしげみにくらしています。そんなセッカが遠《とお》くを見《み》ようと高《たか》いところにいくと……アクロバットになります。

File04　マレーバク

おしっこを大量《たいりょう》に飛《と》ばさずにいられない

なわばりをアピールするために、おしっこをうしろにいきおいよく飛《と》ばして、いろんなところにかけます。

File05　ニホンザル

温泉《おんせん》に入《はい》らずにいられない

サルのなかまの中《なか》で、世界《せかい》でいちばん寒《さむ》い地域《ちいき》にすむニホンザル。冬《ふゆ》のあいだは温泉《おんせん》に入《はい》って、あたたまるものもいます。

File06　キツネ

雪《ゆき》の上《うえ》で、ダイブせずにいられない

寒《さむ》い冬《ふゆ》でも、食《た》べ物《もの》となるネズミなどを探《さが》さなければいけません。ネズミなどが立《た》てた小《ちい》さな音《おと》をたよりに、雪《ゆき》に頭《あたま》からダイブしてつかまえます。

4 進化《しんか》しなかった⁉生《い》き物《もの》

こんばんは、シーラカンスです。　え？　夜《よる》じゃないって？
ぼくらはいつも深海《しんかい》にいるから、まっ暗《くら》なんです。
今《いま》いる島《しま》のまわりの深海《しんかい》は、ずっと昔《むかし》から環境《かんきょう》が
ほとんど変《か》わっていないから、
ぼくらは３億《おく》５０００万年前《まんねんまえ》の姿《すがた》のまま生《い》き残《のこ》っています。

ムカシトカゲだよ～ん。
２億年《おくねん》くらい前《まえ》からほとんど姿《すがた》が変《か》わっていないんだけど、
なぜだかわかるかな？
ぼくらは体温《たいおん》が低《ひく》く、低温《ていおん》にたえられるんだ！
だから、ほかのは虫類《ちゅうるい》がたえられない環境《かんきょう》でも生《い》き残《のこ》ったんだよ！

シーラカンス

くらしていた深海《しんかい》の環境《かんきょう》が変《か》わらなかったため、3億《おく》5000万年前《まんねんまえ》からほとんど姿《すがた》が変《か》わっていない

ムカシトカゲ

低《ひく》い温度《おんど》にたえられたため、環境変化《かんきょうへんか》があっても生《い》き残《のこ》ることができた

こんにちは、ナキウサギです。

シーラカンスさんやムカシトカゲさんにはかなわないけど、わたしたちも200万年《まんねん》くらい姿《すがた》が変《か》わらない生《い》き物《もの》なの。

寒《さむ》い氷期《ひょうき》に生《い》きていたんだけど、あたたかくなったから、寒《さむ》い山《やま》の上《うえ》のほうに移住《いじゅう》して生《い》き残《のこ》ったのよ！

ナキウサギ
環境変化《かんきょうへんか》はあったが、
適《てき》した環境《かんきょう》を見《み》つけ、
生《い》きのびることができた

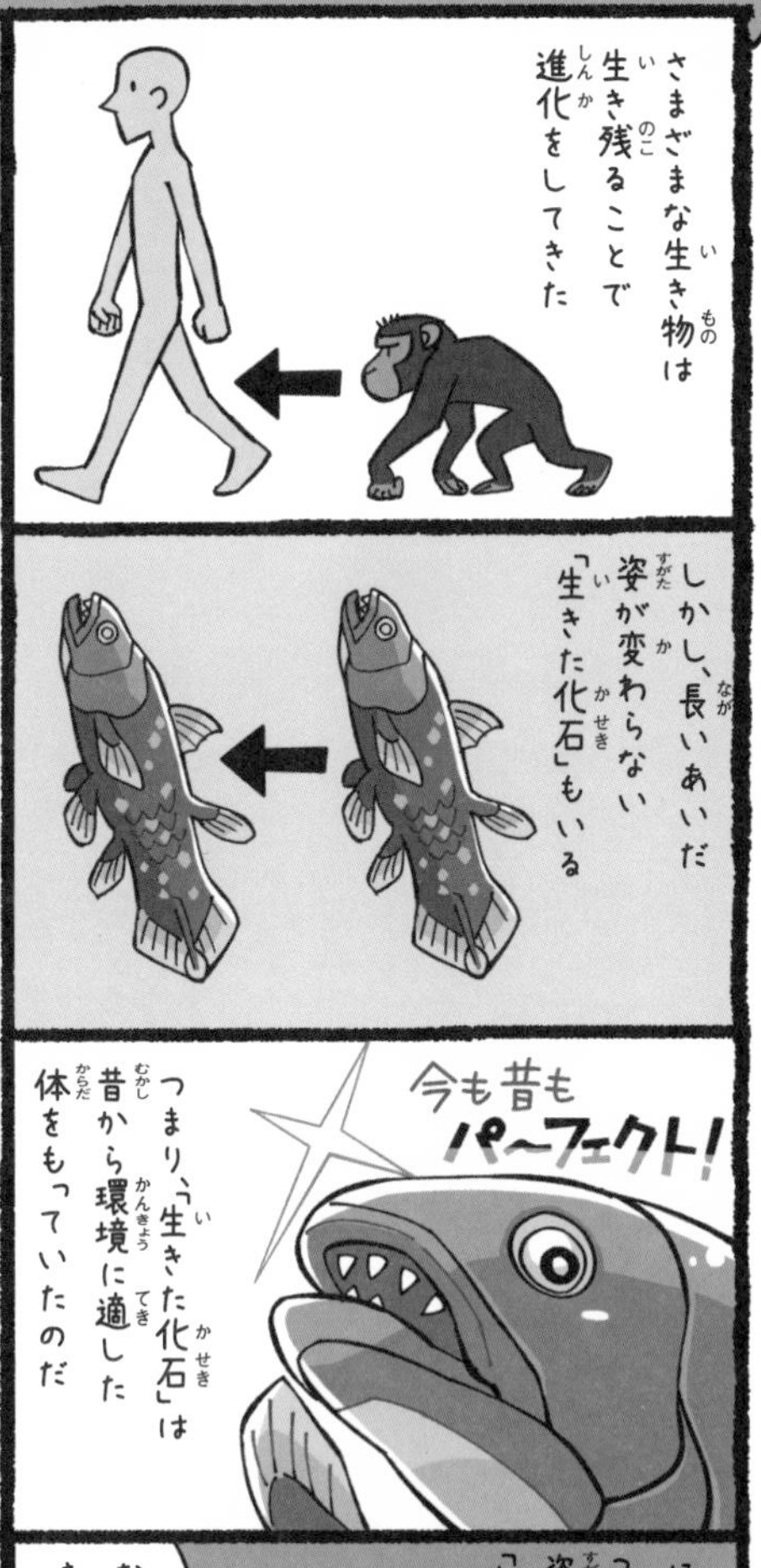
さまざまな生《い》き物《もの》は
生《い》き残《のこ》ることで
進化《しんか》をしてきた
しかし、長《なが》いあいだ
姿《すがた》が変《か》わらない
「生《い》きた化石《かせき》」もいる
今も昔も
パ～フェクト！
つまり、「生《い》きた化石《かせき》」は
昔《むかし》から環境《かんきょう》に適《てき》した
体《からだ》をもっていたのだ
ほら、ここにも
3億年前《おくねんまえ》から
姿《すがた》が変《か》わらない
「生《い》きた化石《かせき》」が……
なぜぼくだけ
きらわれる……

さくいん

この本《ほん》に出《で》てきた生《い》き物《もの》を、近《ちか》いなかまごとに紹介《しょうかい》します

脊索動物《せきさくどうぶつ》

脊椎《せきつい》（背骨《せぼね》）や脊索《せきさく》（原始的《げんしてき》な背骨《せぼね》）をもつ動物《どうぶつ》

ほ乳類《にゅうるい》

親《おや》と似《に》た姿《すがた》の子《こ》どもをうみ、乳《ちち》で育《そだ》てる。体温《たいおん》が一定《いってい》で、肺呼吸《はいこきゅう》をする

鳥類《ちょうるい》

卵《たまご》からうまれ、翼《つばさ》で空《そら》を飛《と》ぶものが多《おお》い。体温《たいおん》が一定《いってい》で、肺呼吸《はいこきゅう》をする

A 150ページの答《こた》え→　ライオンが子《こ》ネコのようにじゃれる

は虫類《ちゅうるい》

卵《たまご》からうまれる。まわりの温度《おんど》によって体温《たいおん》が変《へん》化《か》し、肺呼吸《はいこきゅう》をする

両生類《りょうせいるい》

卵《たまご》からうまれる。まわりの温度《おんど》によって体温《たいおん》が変《へん》化《か》する。子《こ》どものときは水中《すいちゅう》でえら呼吸《こきゅう》、おとなになると肺呼吸《はいこきゅう》に変《か》わる

硬骨魚類《こうこつぎょるい》

多《おお》くが卵《たまご》からうまれ、水中《すいちゅう》で生活《せいかつ》し、ヒレを使《つか》って泳《およ》ぐ。まわりの温度《おんど》によって体温《たいおん》が変化《へんか》する

軟骨魚類《なんこつぎょるい》

卵《たまご》からうまれるものと、親《おや》と似《に》た姿《すがた》の子《こ》どもをうむものがいる。水中《すいちゅう》で生《せい》活《かつ》し、ヒレを使《つか》って泳《およ》ぐ。骨《ほね》がやわらかい

ホヤ類《るい》

海《うみ》の中《なか》にすみ、岩《いわ》などに体《からだ》をくっつけて生活《せいかつ》する。むれでいるものと単体《たんたい》でいるものにわかれる

タリア類《るい》

海《うみ》で漂《ただよ》いながら過《す》ごす。樽《たる》のような体《からだ》に水《みず》を吸《す》い込《こ》み、獲物《えもの》をとらえる

無脊索動物《むせきさくどうぶつ》

脊椎《せきつい》（背骨《せぼね》）や脊索《せきさく》（原始的《げんしてき》な背骨《せぼね》）をもたない、脊索動物《せきさくどうぶつ》以外《いがい》の動物《どうぶつ》

昆虫類《こんちゅうるい》

体《からだ》は頭《あたま》、胸《むね》、腹《はら》にわかれている。多《おお》くは触角《しょっかく》と羽《はね》をもつ。足《あし》は3対《つい》6本《ぼん》

甲殻類《こうかくるい》

体《からだ》がかたい殻《から》でおおわれている。おもに水中《すいちゅう》で生活《せいかつ》し、えら呼吸《こきゅう》をする

鋏角類《きょうかくるい》

口元《くちもと》に鋏角《きょうかく》という、はさみのような器官《きかん》がある。足《あし》はおもに4対《つい》8本《ぽん》

頭足類《とうそくるい》

イカ・タコのなかま。体《からだ》は頭《あたま》、胴《どう》、腕《うで》にわかれ、頭《あたま》から腕《うで》が生《は》えている

腹足類《ふくそくるい》

まき貝《がい》のなかま。体《からだ》はやわらかく、多《おお》くはねじれた貝殻《かいがら》をもつ

二枚貝《にまいがい》類《るい》

軟体《なんたい》を左右《さゆう》から2枚《まい》の殻《から》がおおう。頭《あたま》はなく、眼《め》や触角《しょっかく》もない

クラゲ類《るい》

水中《すいちゅう》で生活《せいかつ》し、体《からだ》はゼリー状《じょう》。水中《すいちゅう》をただよい、触手《しょくしゅ》でえものをとらえる

ヒトデ類《るい》

星形《ほしがた》にのびた5本《ほん》の腕《うで》をもつ。体《からだ》の中央《ちゅうおう》に口《くち》がある

ナマコ類《るい》

体《からだ》はやわらかく、細長《ほそなが》で、丸《まる》い筒《つつ》のような形《かたち》をしている。背《せ》にイボ状《じょう》の突《とっ》起《き》をもつ

貧膜口《ひんまくこう》類《るい》

細胞《さいぼう》がひとつだけの生《い》き物《もの》。表面《ひょうめん》に毛《け》が生《は》えていて、その毛《け》を使《つか》って動《うご》く

植物《しょくぶつ》

植物《しょくぶつ》

水《みず》と二《に》酸《さん》化《か》炭《たん》素《そ》、太《たい》陽《よう》の光《ひかり》によってエネルギーをつくる

不明《ふめい》

監修者

今泉忠明　いまいずみ ただあき

1944年東京都生まれ。東京水産大学（現 東京海洋大学）卒業。国立科学博物館で哺乳類の分類学・生態学を学ぶ。文部省（現 文部科学省）の国際生物学事業計画（IBP）調査、環境庁（現 環境省）のイリオモテヤマネコの生態調査などに参加する。トウホクノウサギやニホンカワウソの生態、富士山の動物相、トガリネズミをはじめとする小型哺乳類の生態、行動などを調査している。上野動物園の動物解説員を経て、「ねこの博物館」（静岡県伊東市）館長。その著書は多数。

おもしろい！進化のふしぎ

もっとざんねんないきもの事典

監修者　今泉忠明
発行者　高橋秀雄
編集者　山下利奈
発行所　**株式会社 高橋書店**
〒112-0013　東京都文京区音羽1-26-1
電話　03-3943-4525

ISBN978-4-471-10374-3

本書の内容についてのご質問は「書名、質問事項（ページ、内容）、お客様のご連絡先」を明記のうえ、郵送、FAX、ホームページお問い合わせフォームから小社へお送りください。

回答にはお時間をいただく場合がございます。また、電話によるお問い合わせ、本書の内容を超えたご質問にはお答えできませんので、ご了承ください。

本書に関する正誤等の情報は、小社ホームページもご参照ください。

【内容についての問い合わせ先】
書　面　〒112-0013　東京都文京区音羽1-26-1　高橋書店編集部
F A X　03-3943-4047
メール　小社ホームページお問い合わせフォームから　（https://www.takahashishoten.co.jp/）

【不良品についての問い合わせ先】

ページの順序間違い・抜けなど物理的欠陥がございましたら、電話03-3943-4529へお問い合わせください。ただし、古書店等で購入・入手された商品の交換には一切応じられません。